白玉崢撰

殷契佚存校釋（下）

——圖版

文史哲出版社印行

殷契佚存校釋圖版

渾源 白玉崢 重編

壹、孫 壯氏藏拓

一至一九三

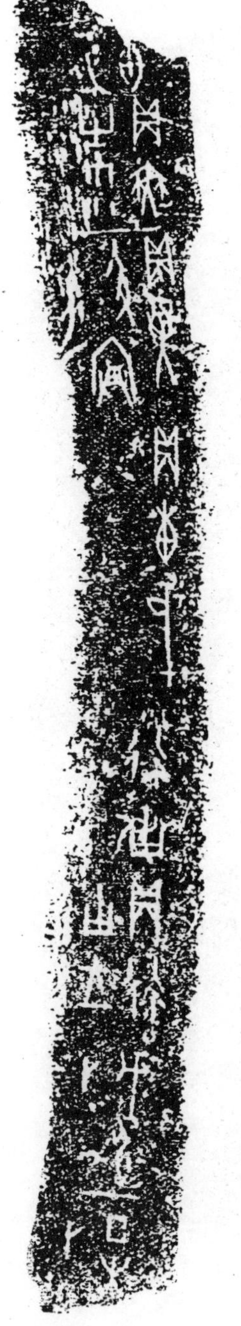

001

反　　002　　正

005

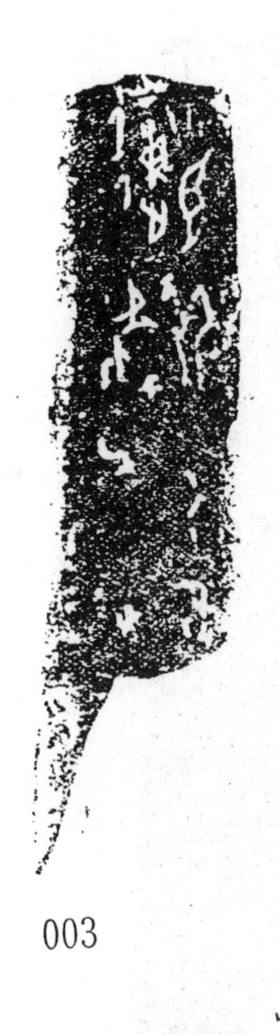
003

004

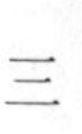

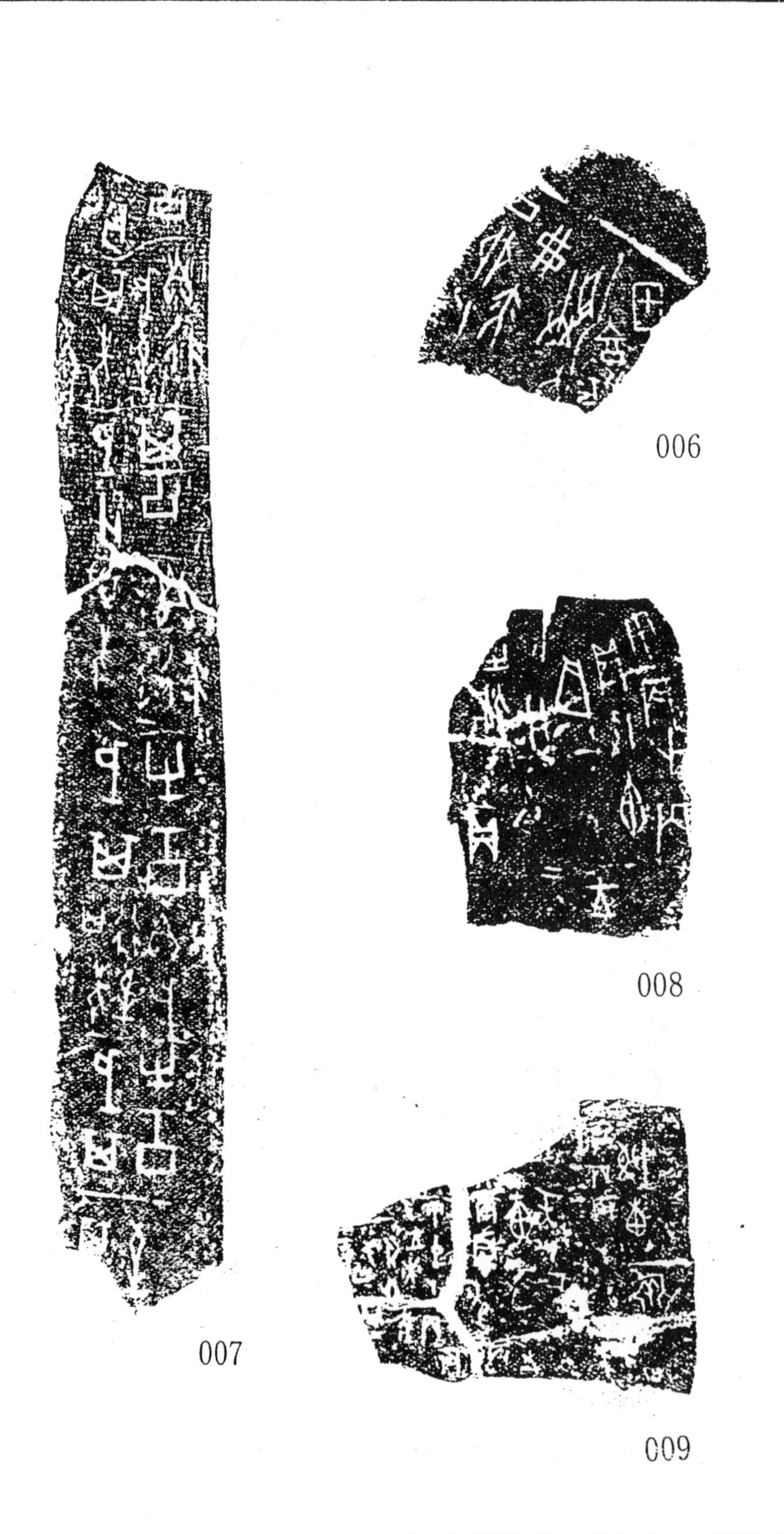

006

007

008

009

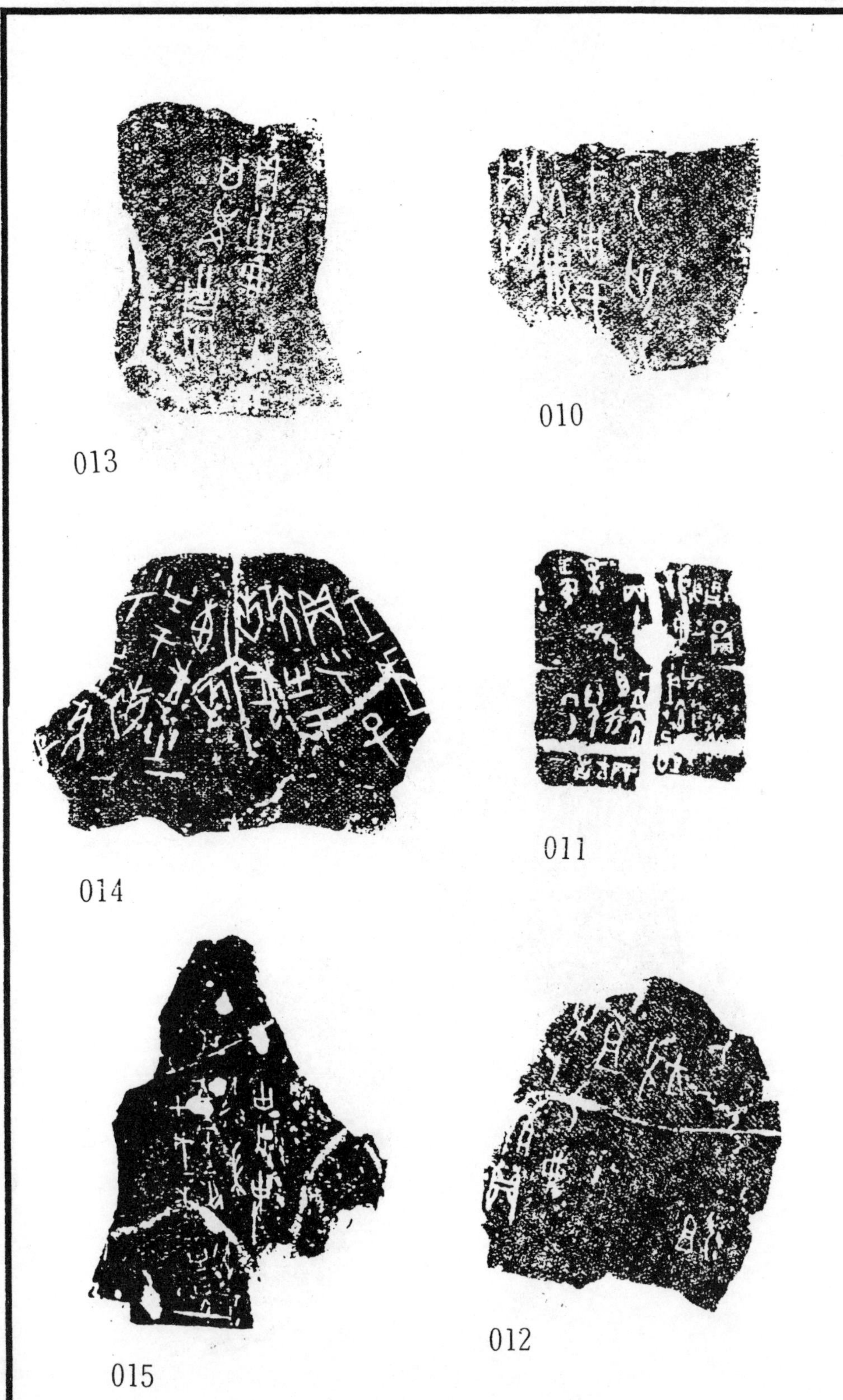
013
010
014
011
015
012

016

017

正

019

臼

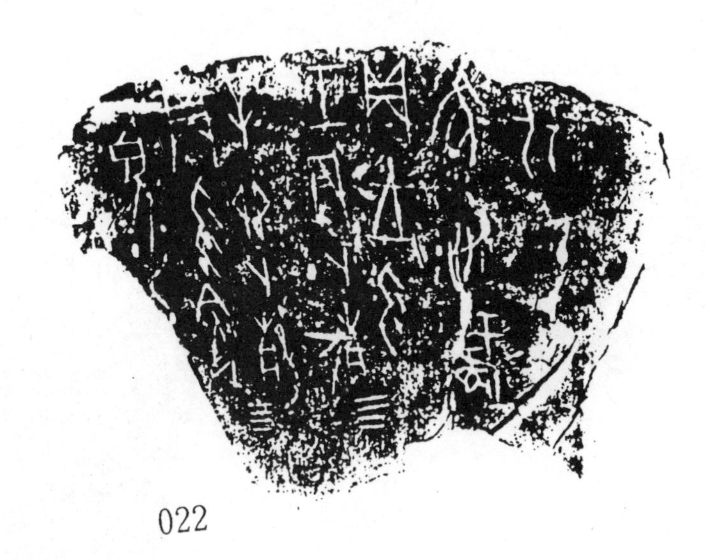
022

020

018

021

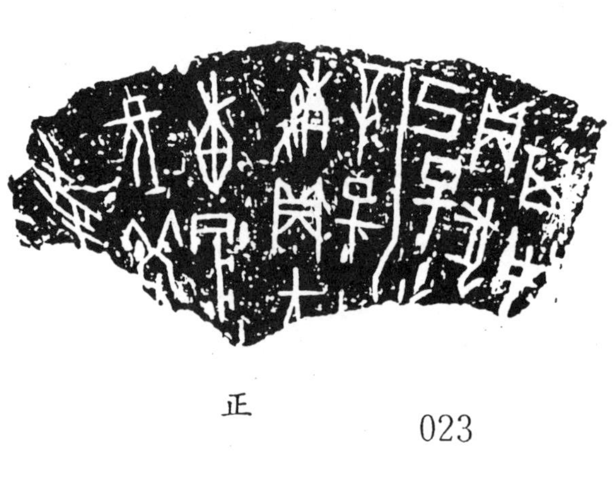

正 023 臼

025

024

027

反　　025.1　　正

026

031

028

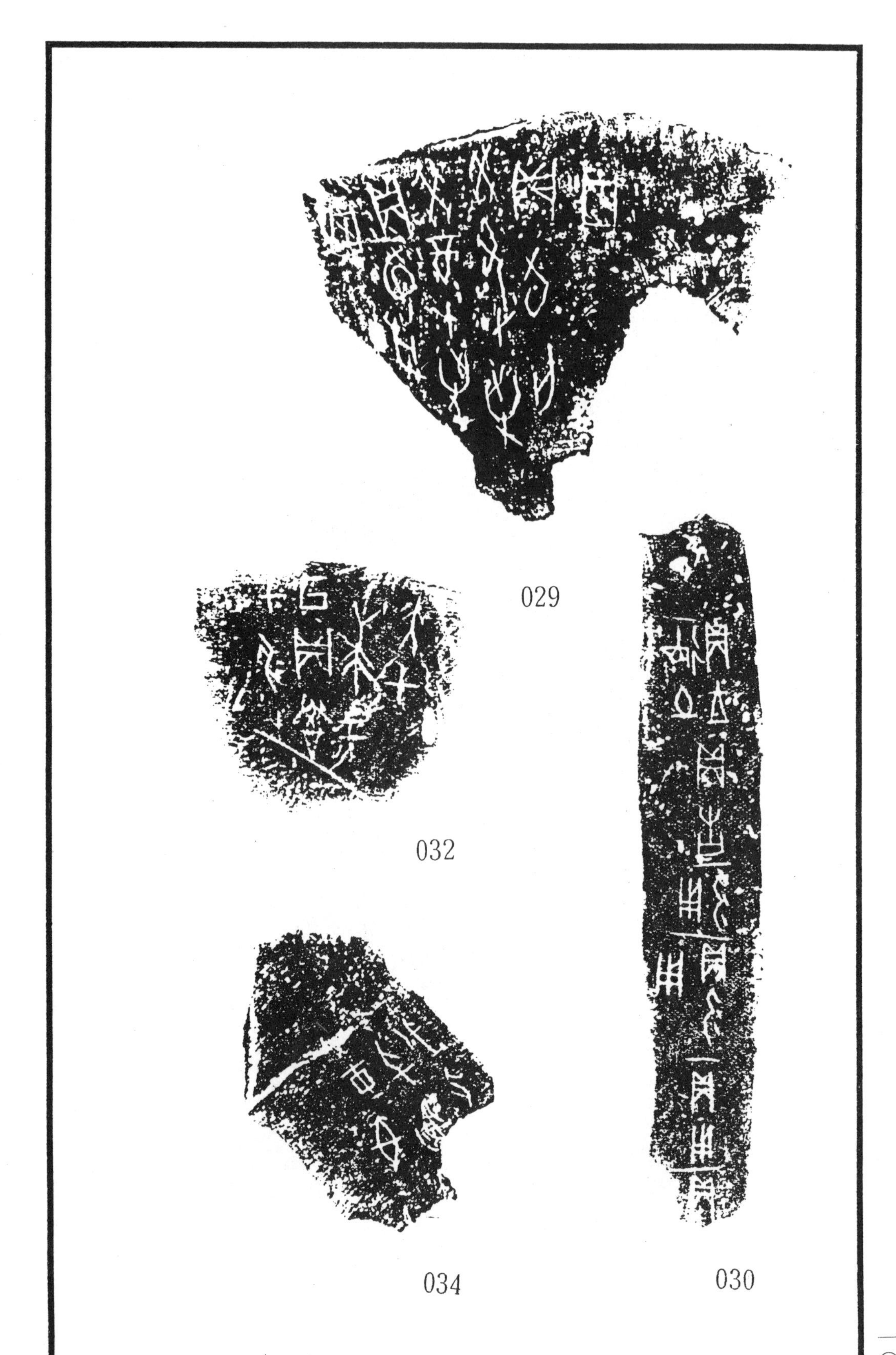

029

032

034

030

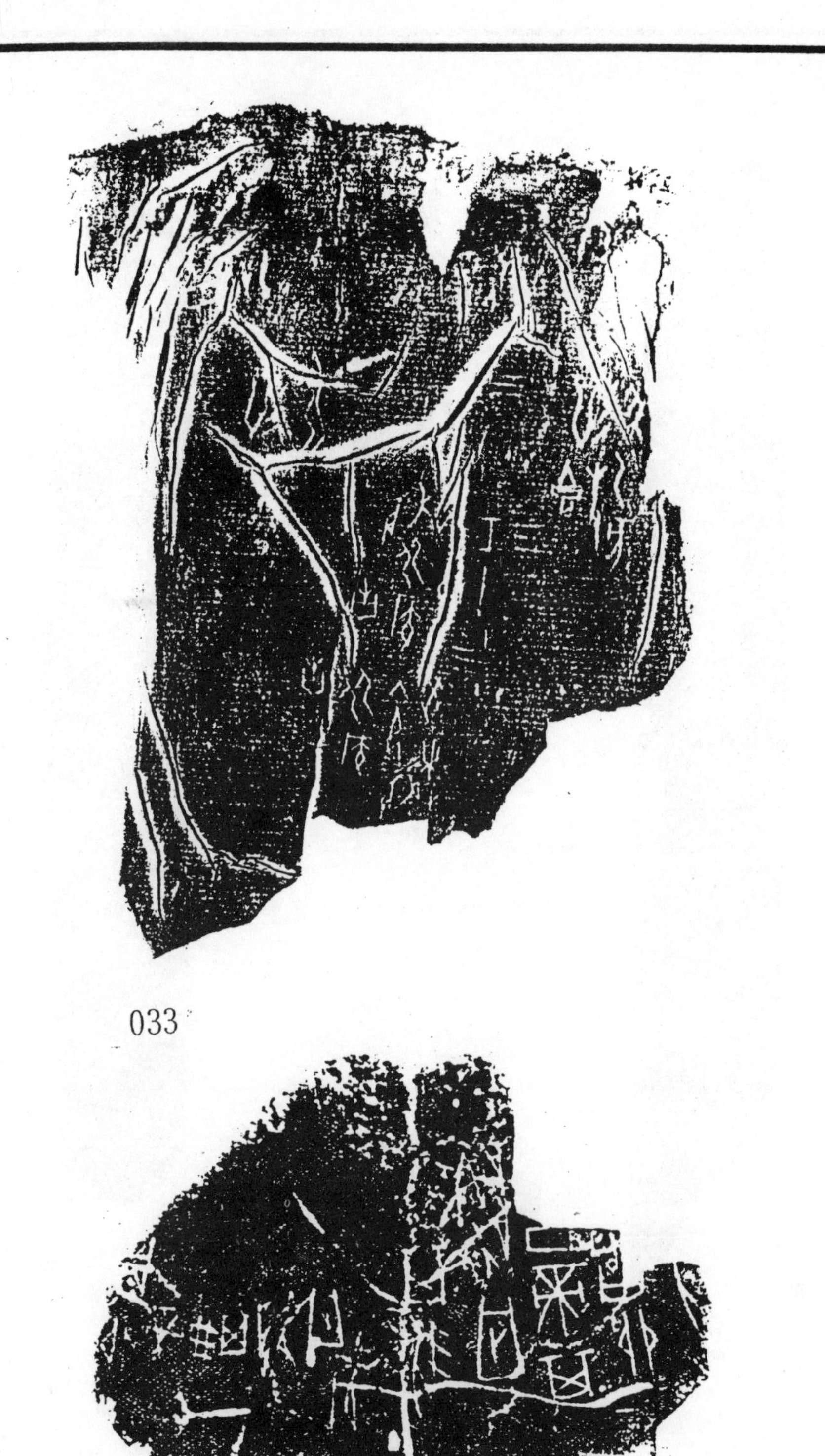

033

036

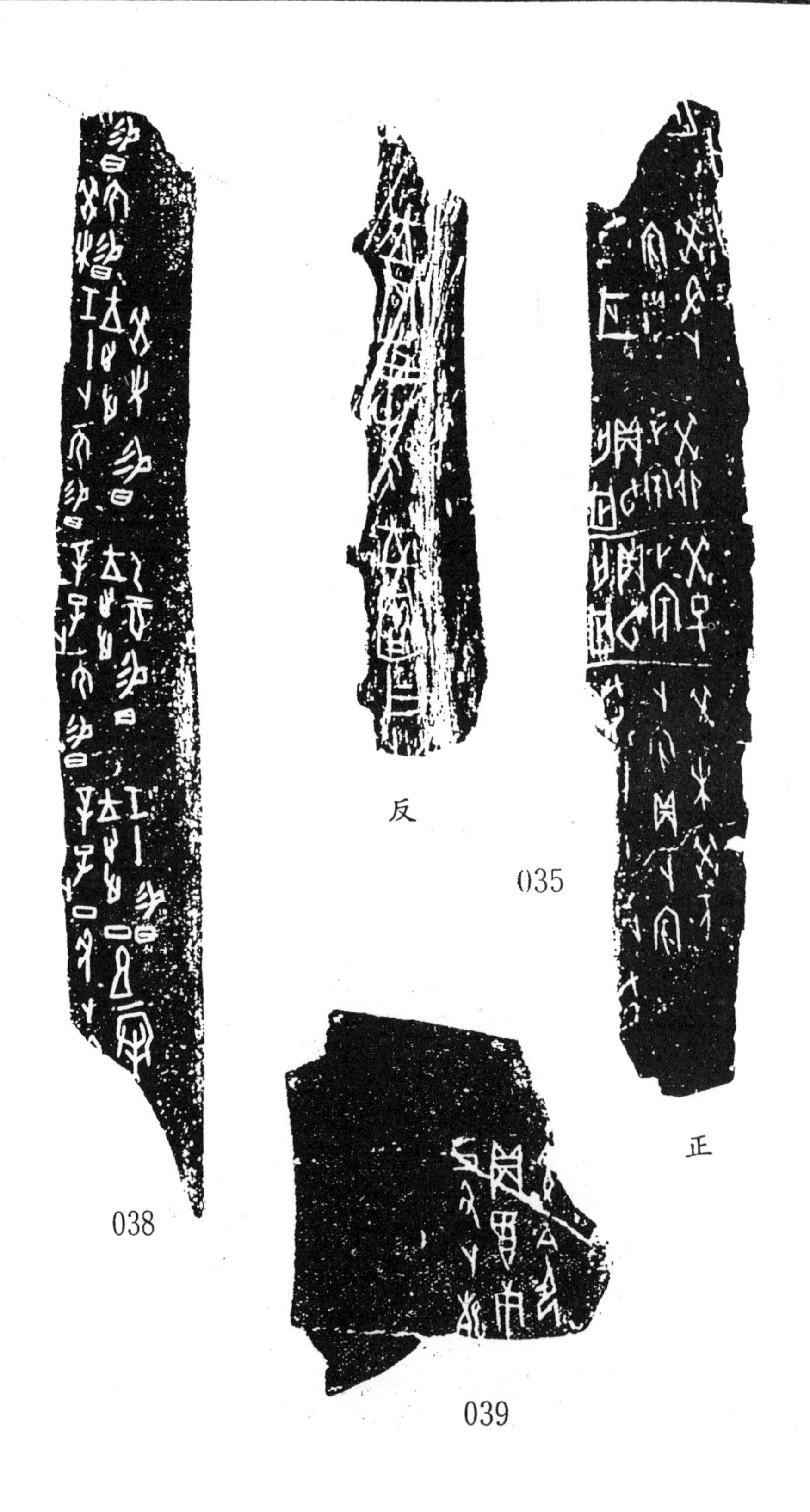

038

反

035

正

039

037

040

041

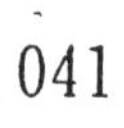

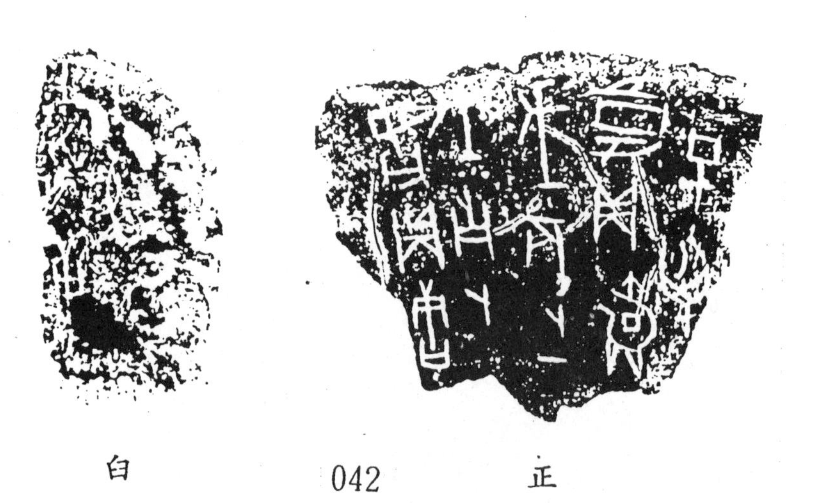

白　　042　　正

043

045

044

046

050

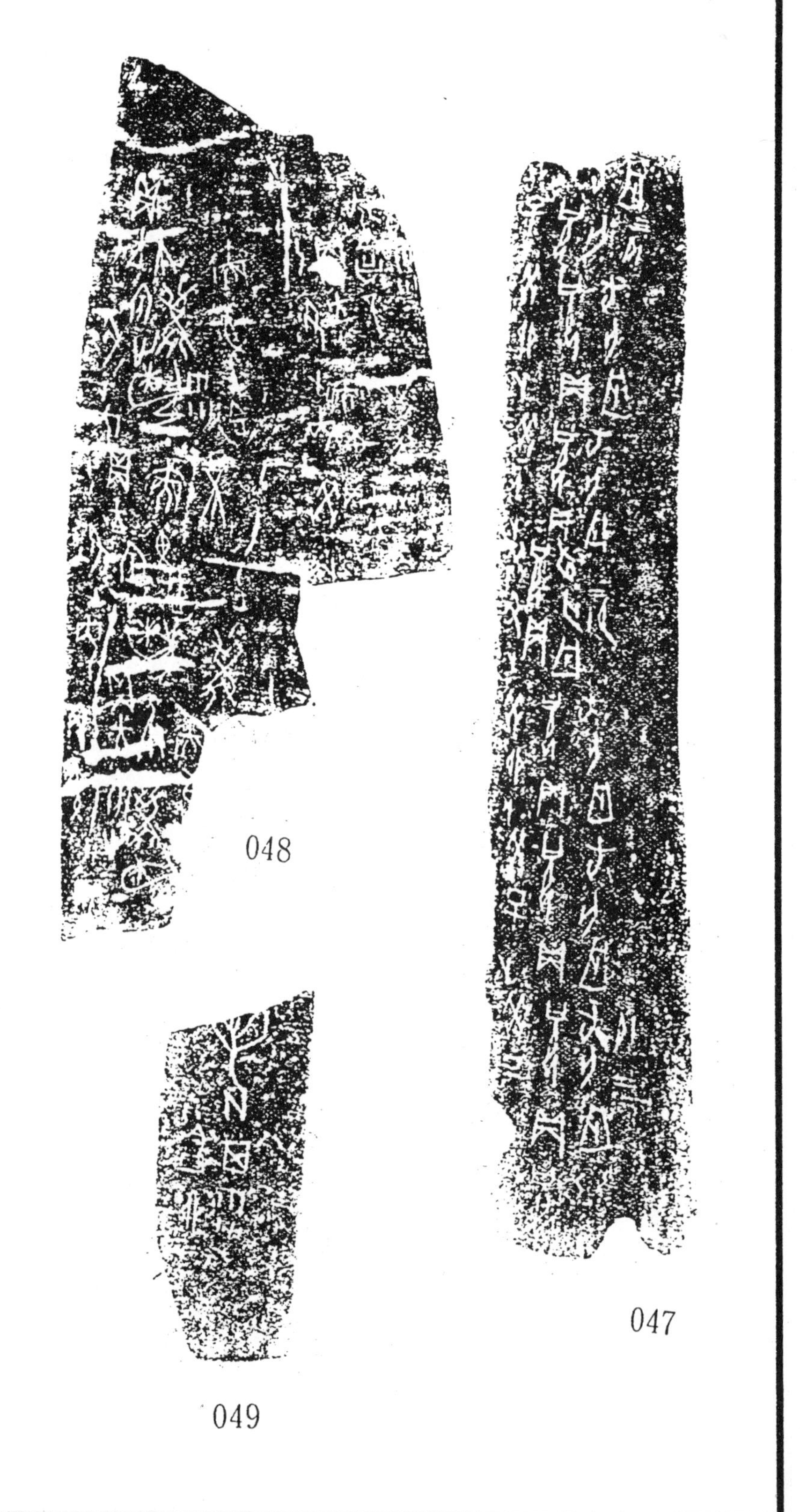
048
049
047

051

052

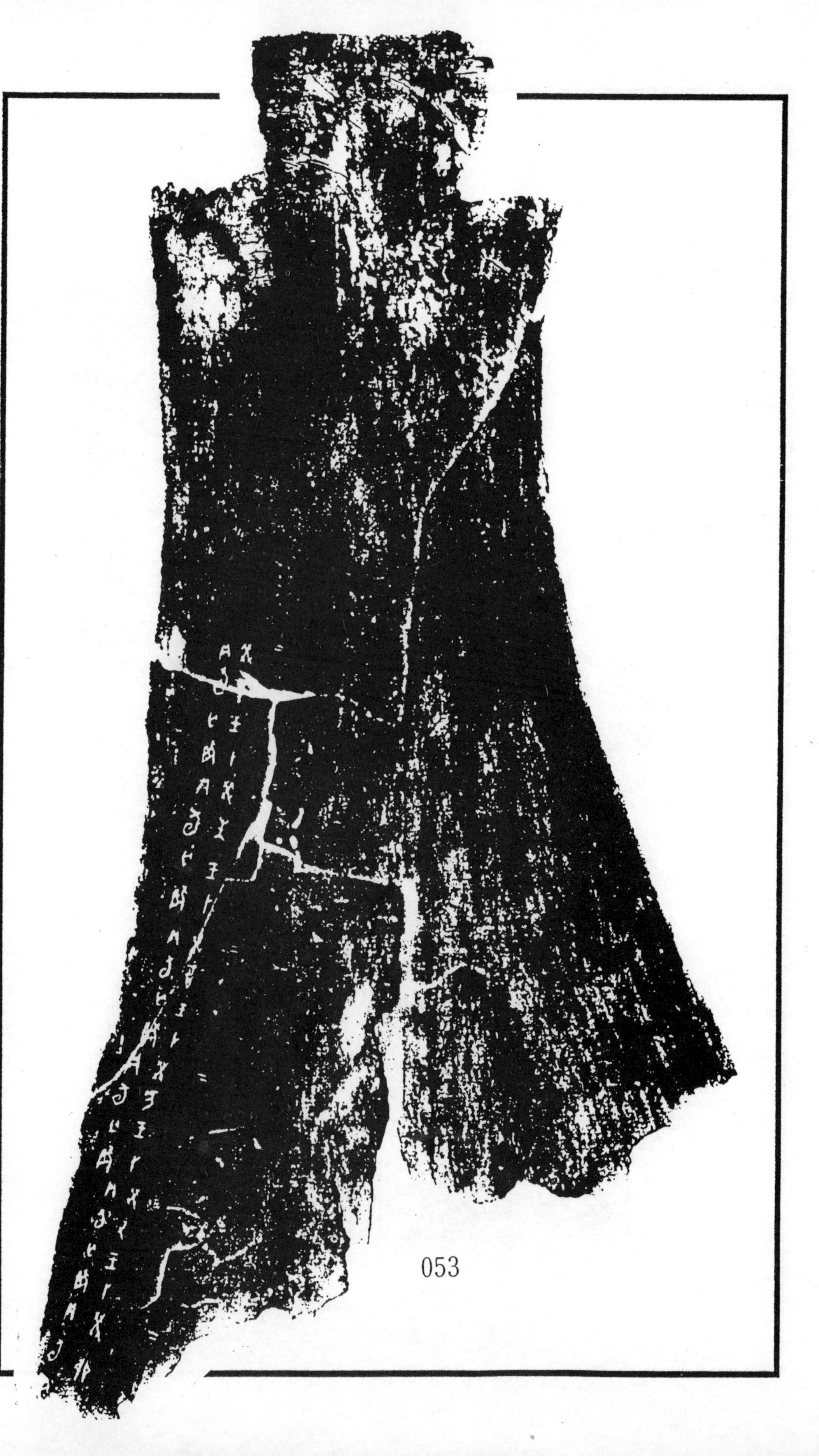

053

054

055

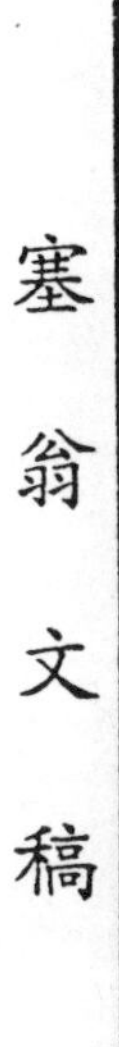

縮小

056

原大

上

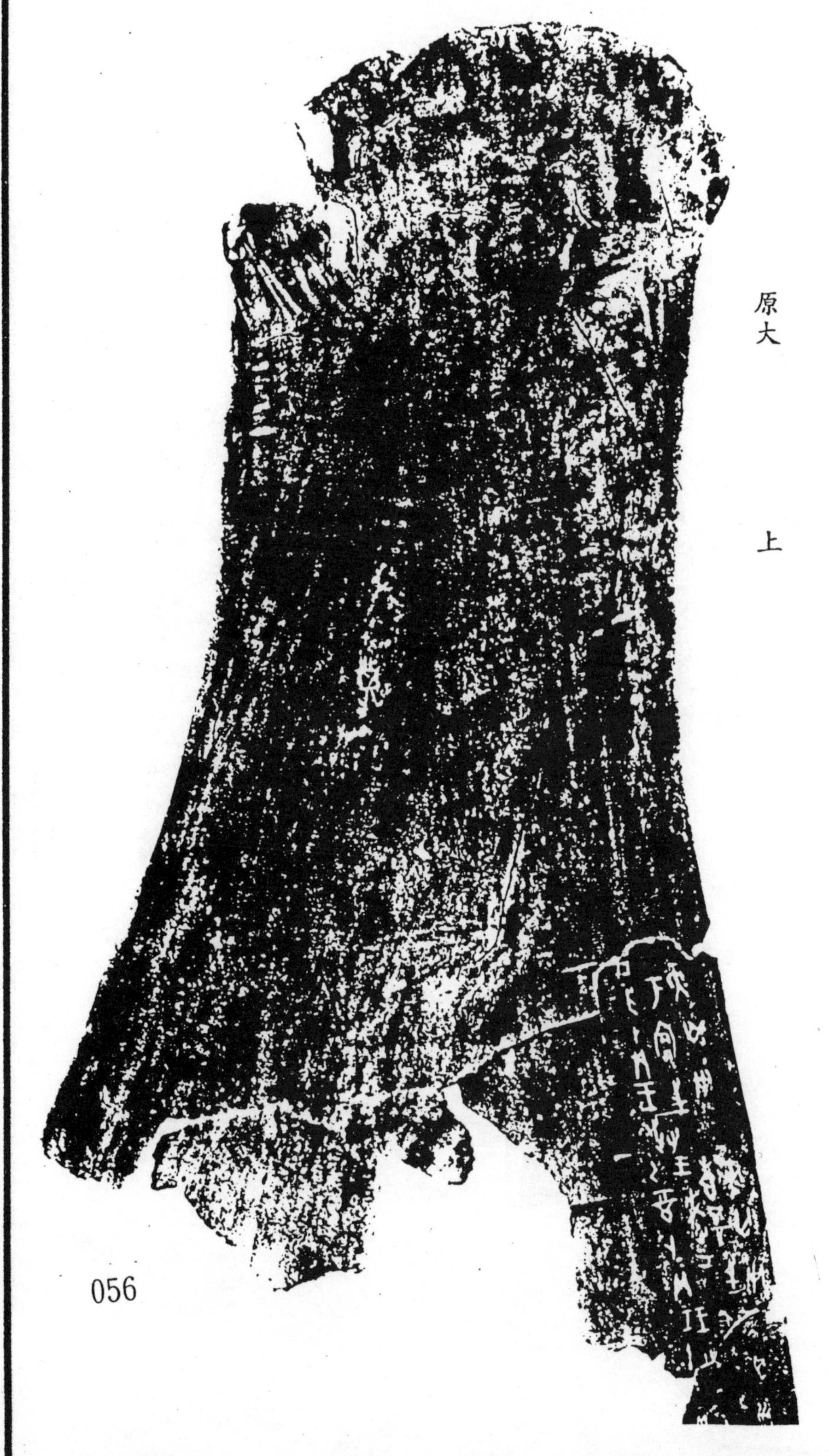

056

057

下

縮小

058

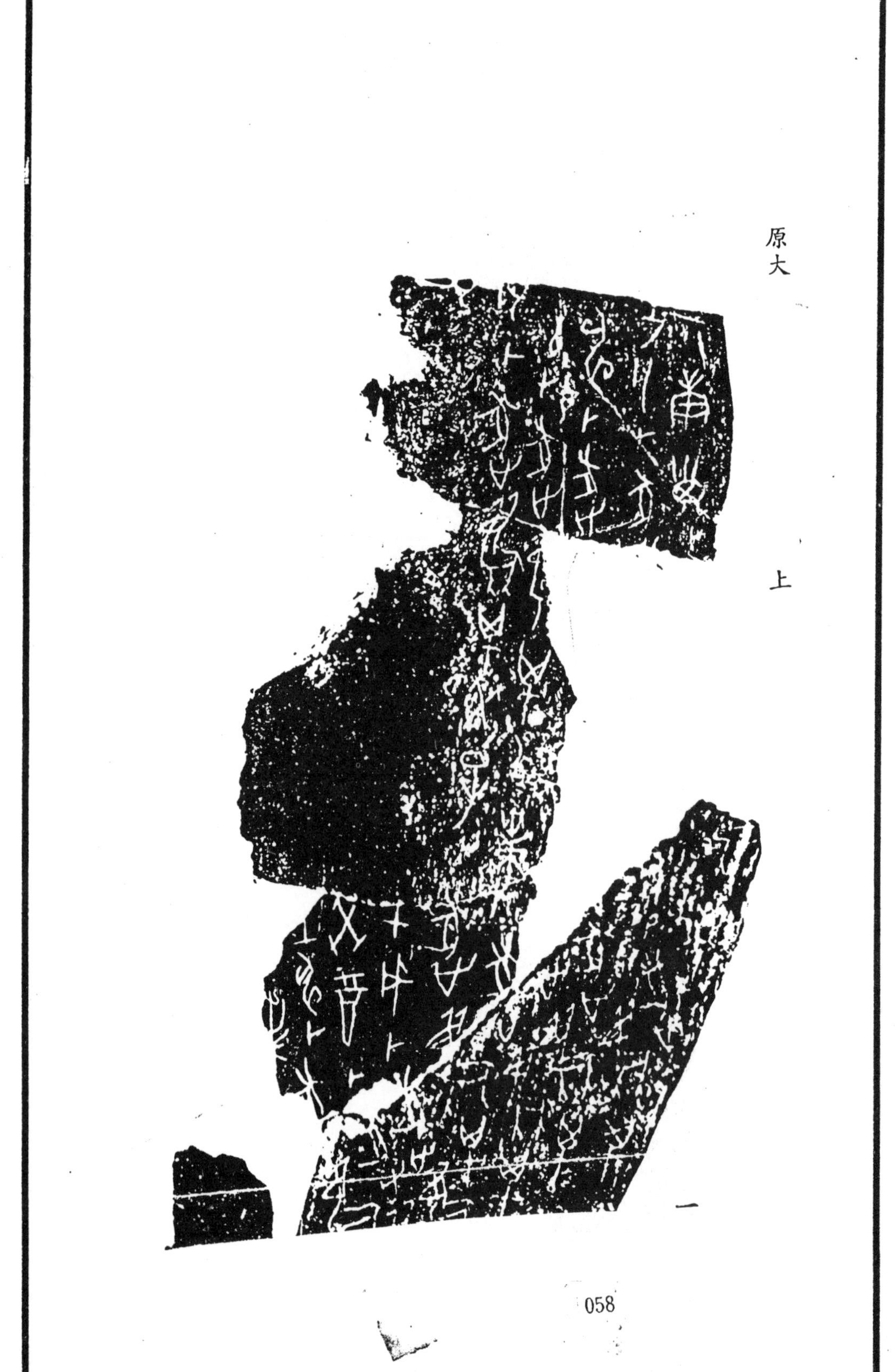
原大
上
058

059
已綴入 58
刪

061　　反　　060　正

060 反

063

062

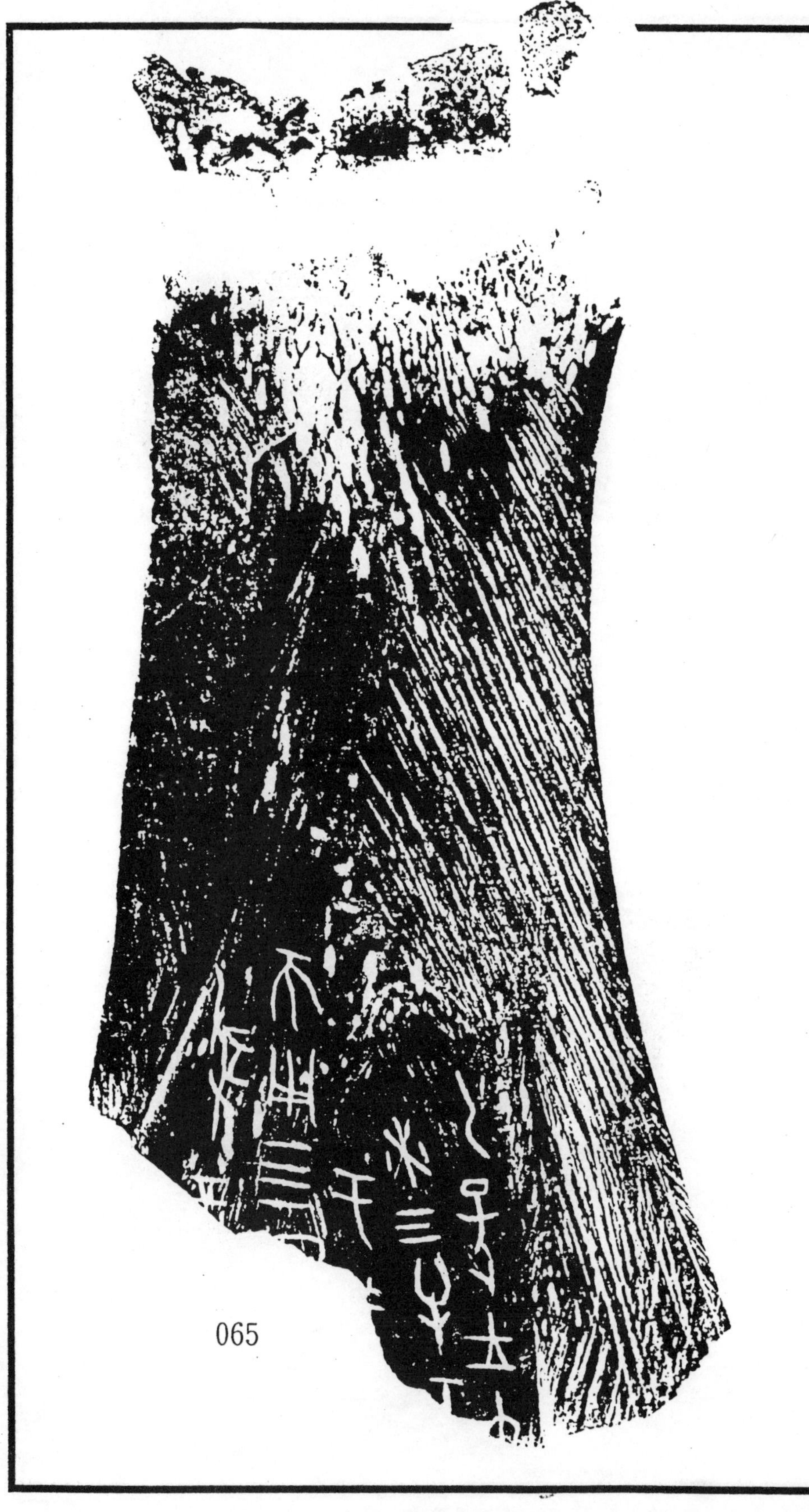

065

069

064

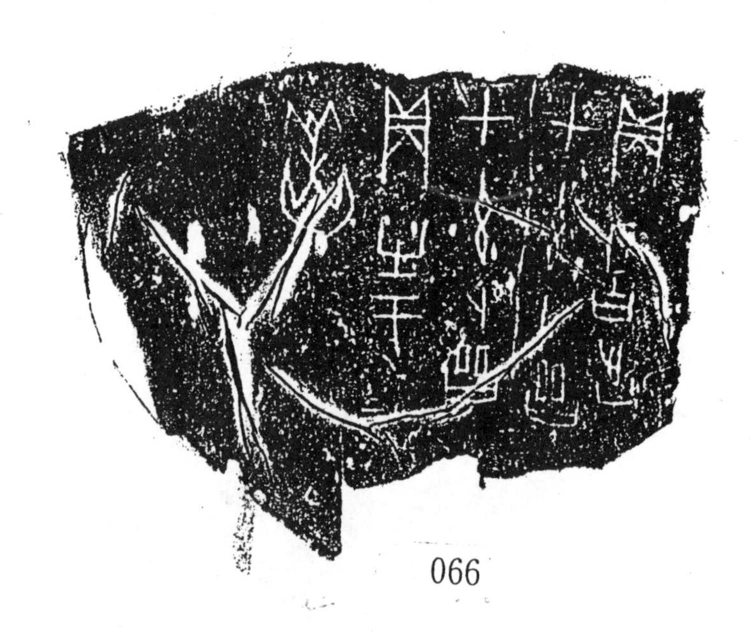

066

068

067

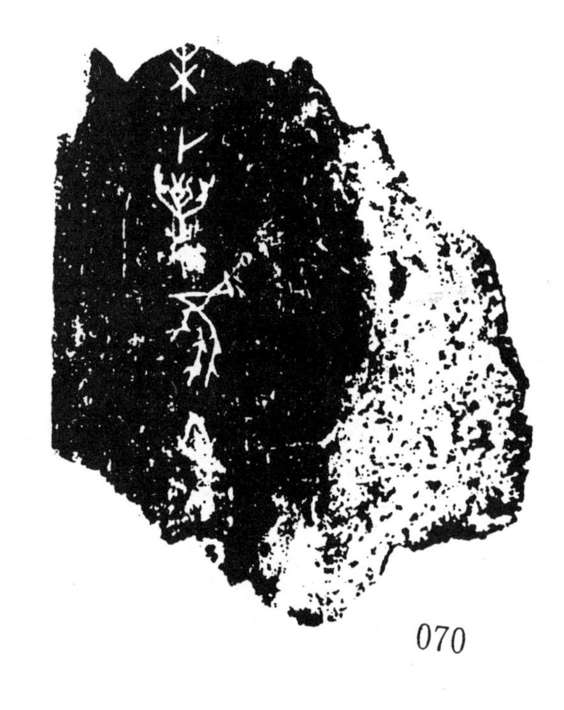
070

071

072

073

074

076

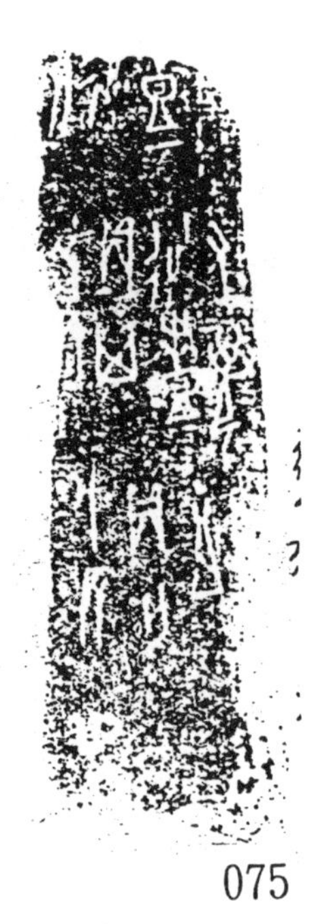

075

080

077

078

082

085

081

079

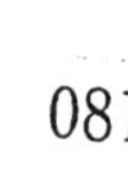

084

083

088

086

089

087

090

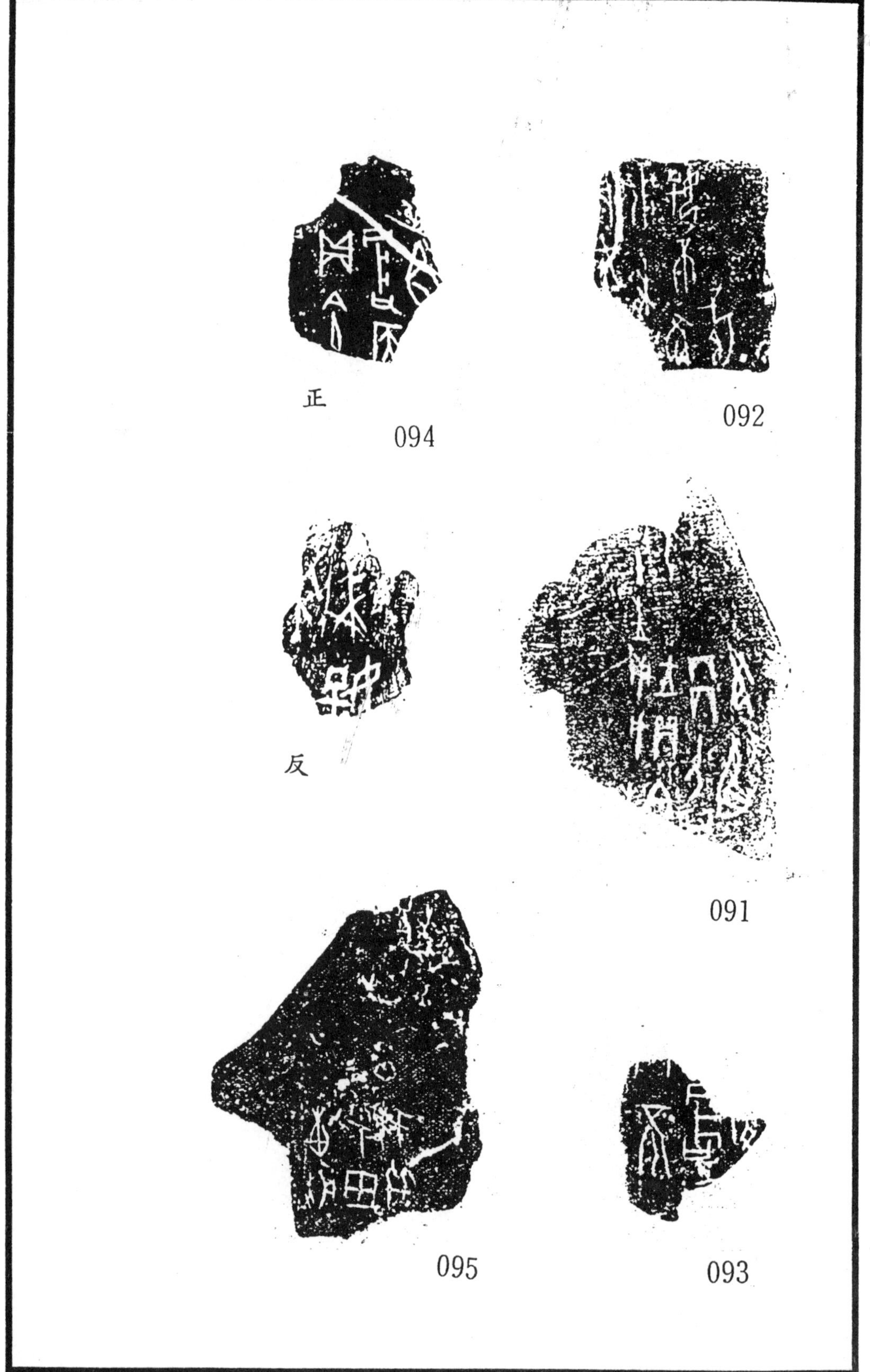
正

094

092

反

091

095

093

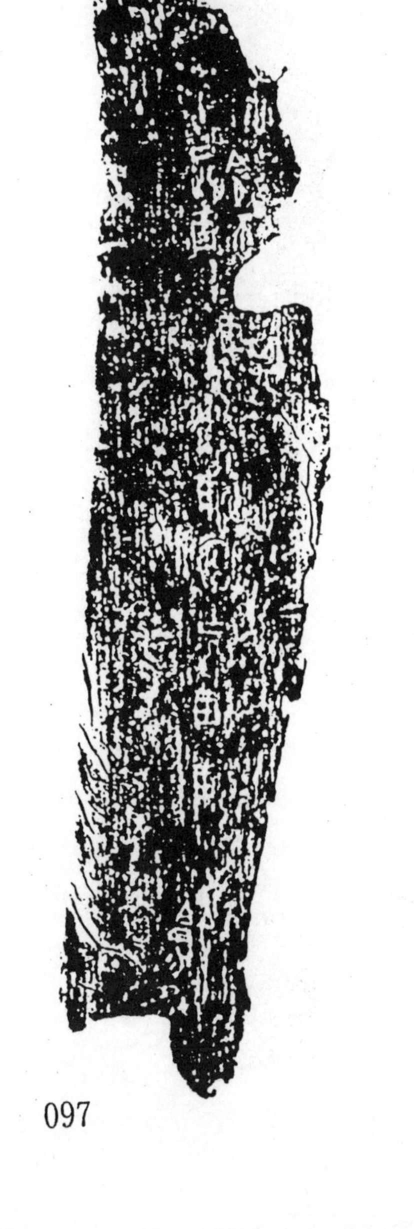

097

096

099

反

正

098

101

100

104

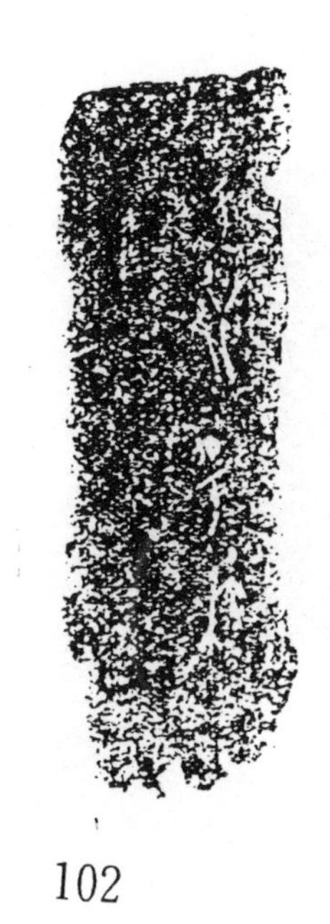

102

106

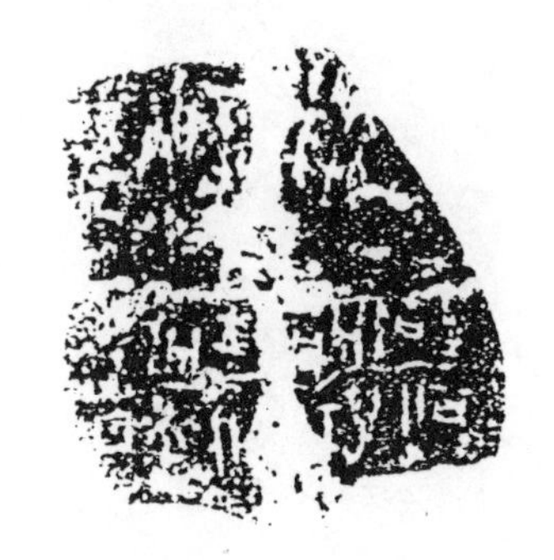

103

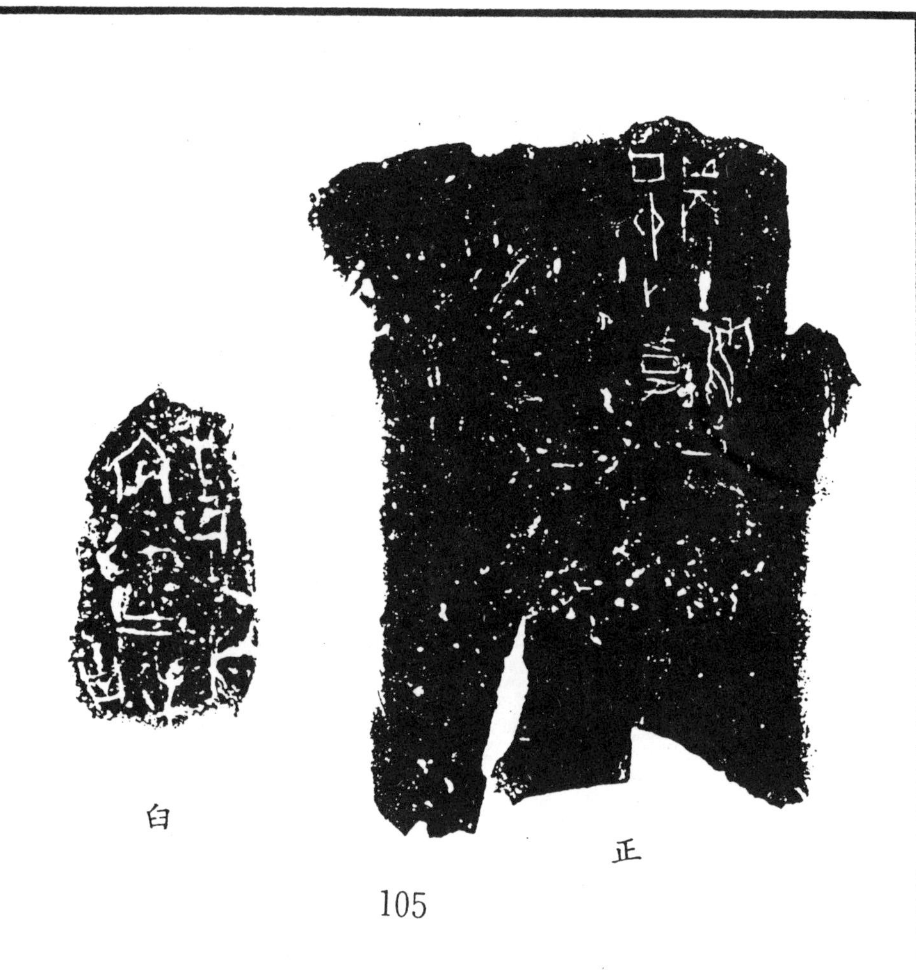

白　　正

105

108

107

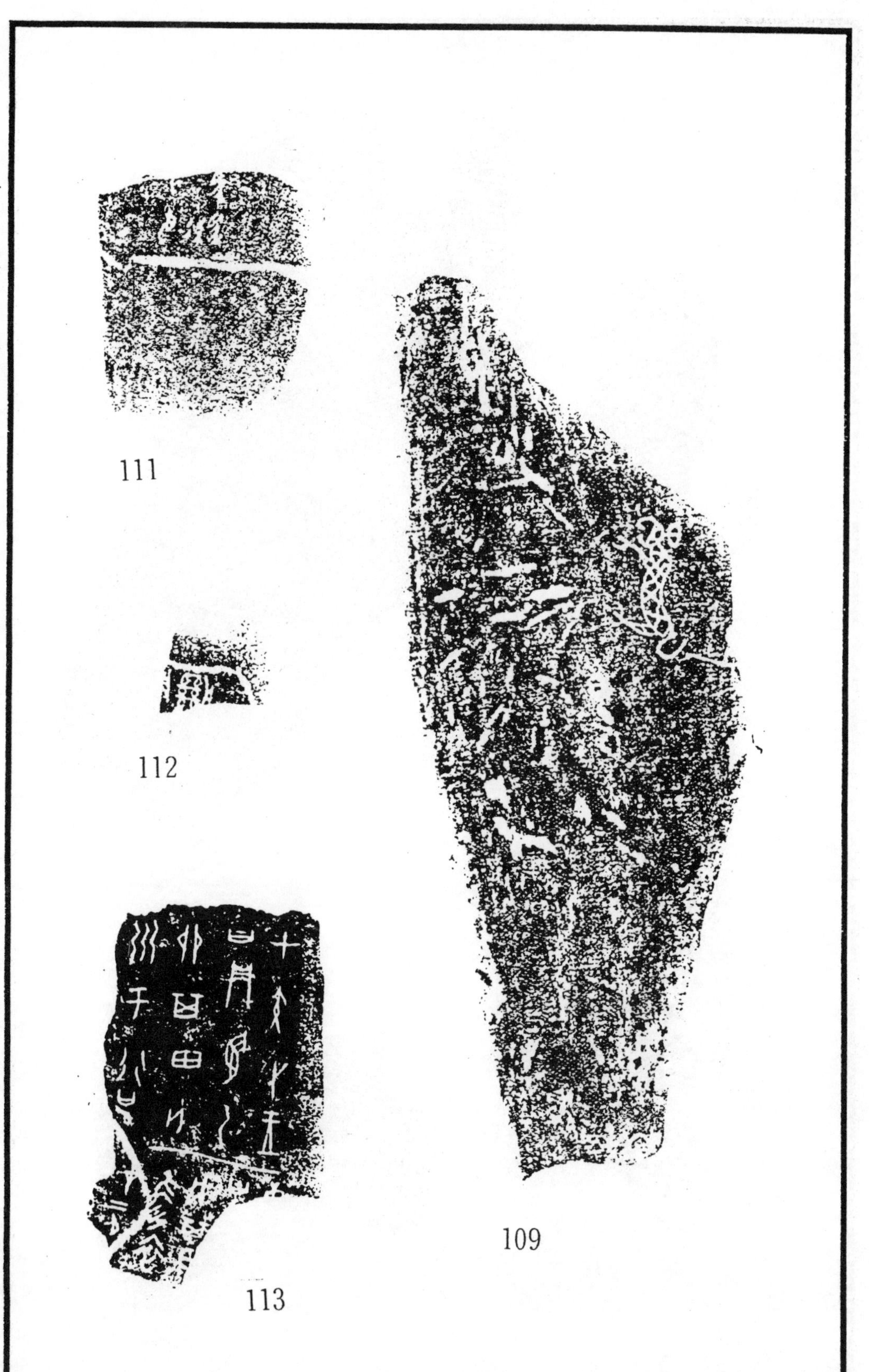

111

112

113

109

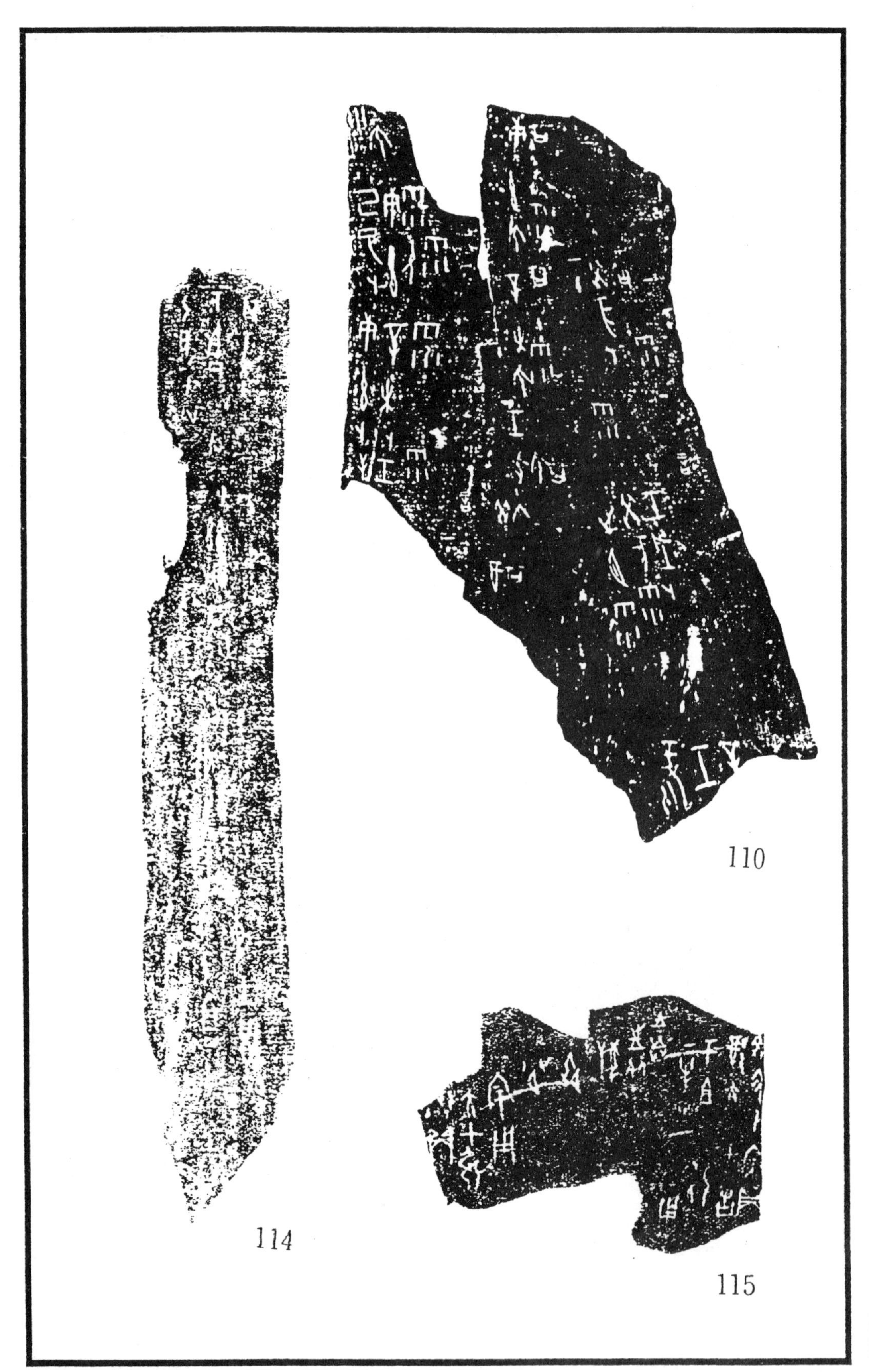

110

114

115

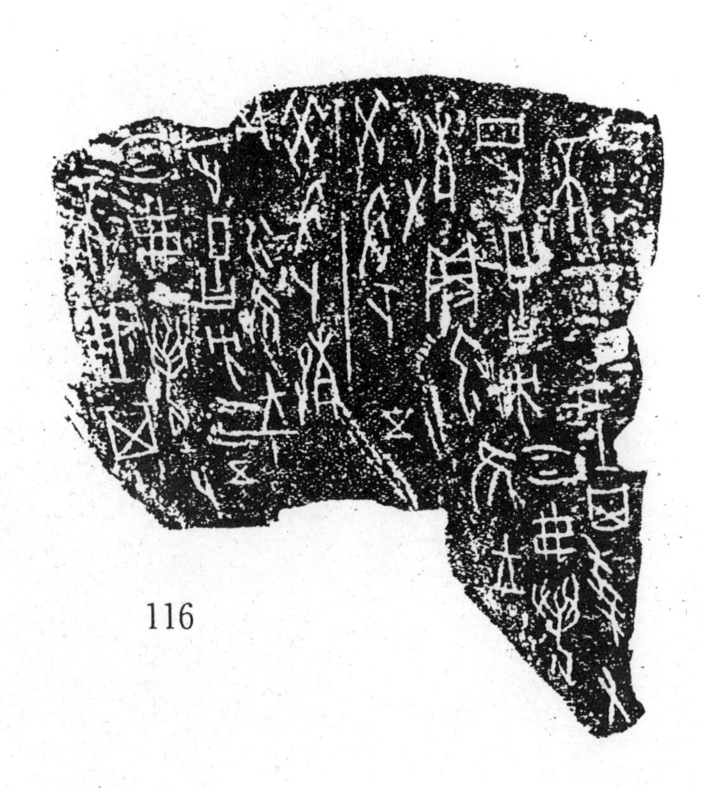

116

118

117

119

120

121

122

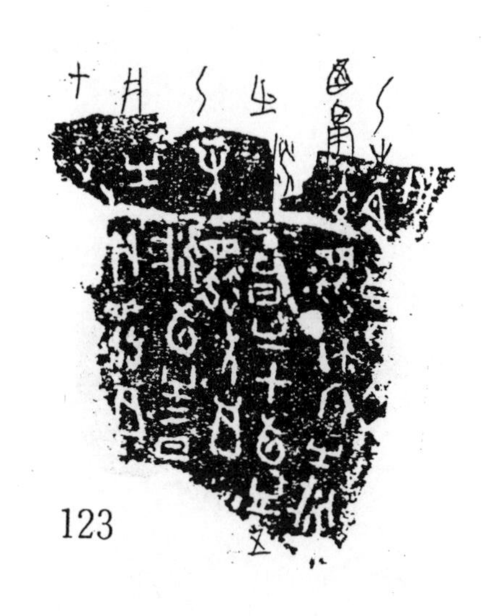
123

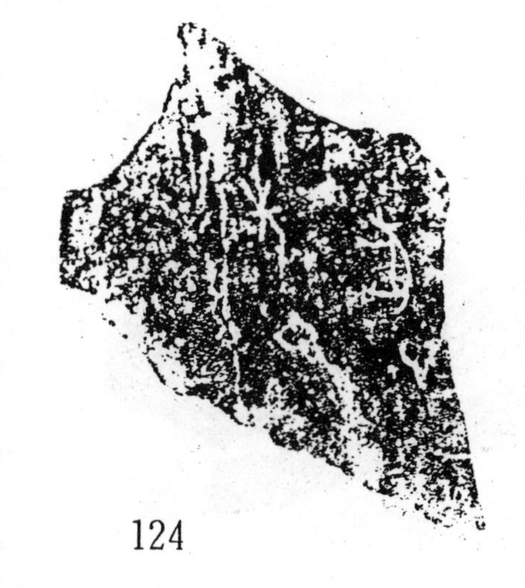
124

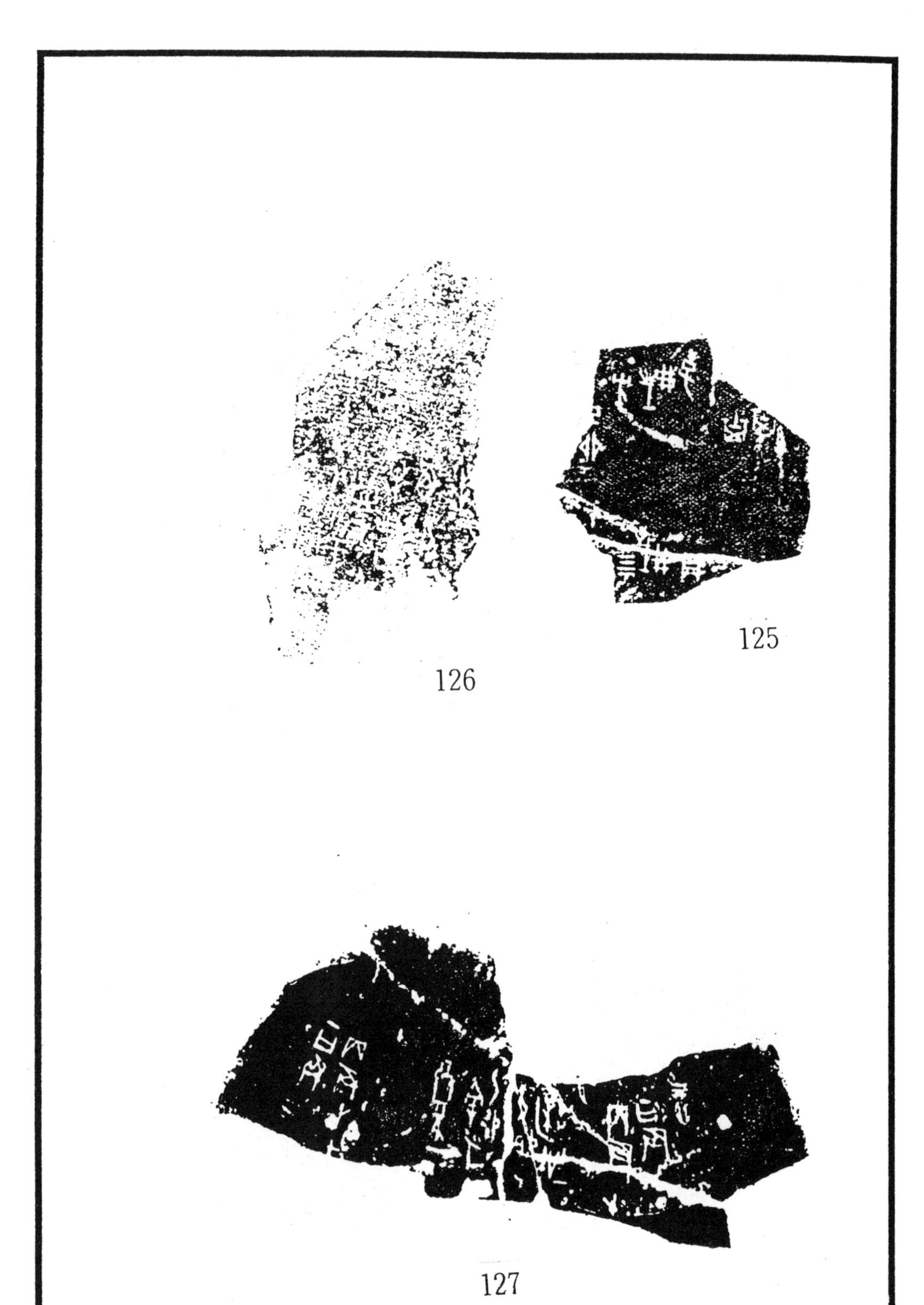

126

125

127

128

130

129

132

131

135

133

134

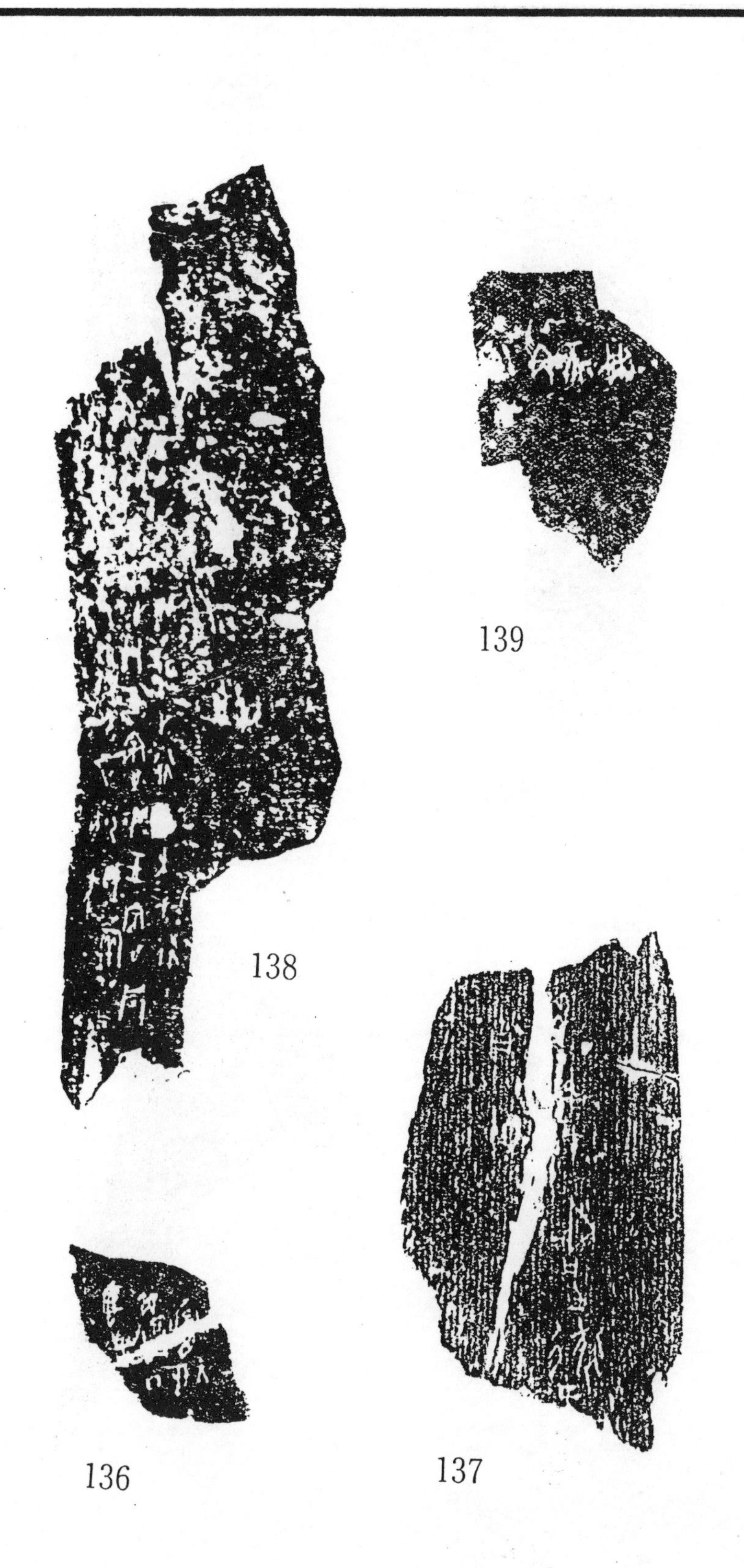

139

138

136

137

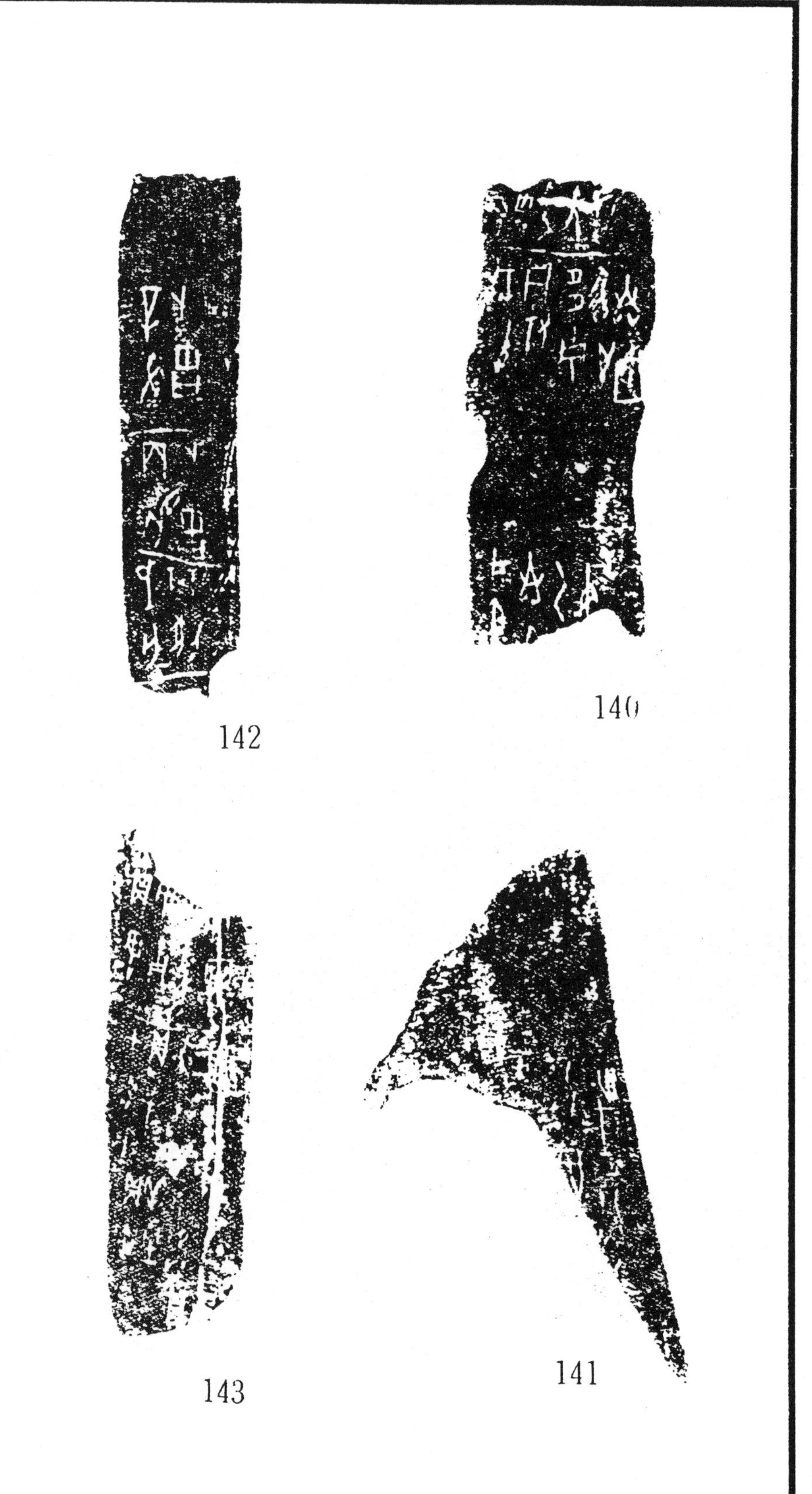

142 140

143 141

145

144

146

148

147

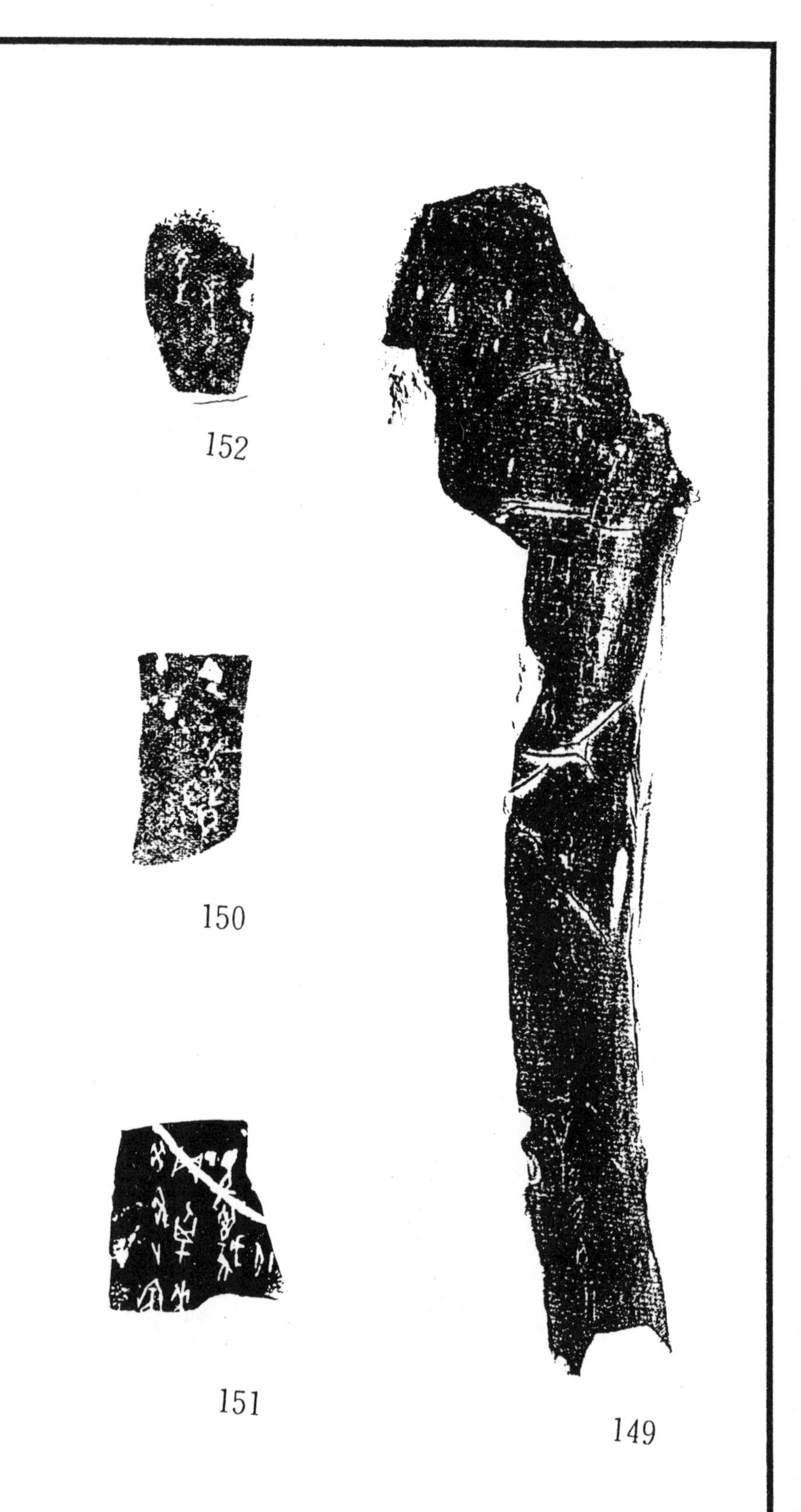

152

150

151

149

反　153　正

156

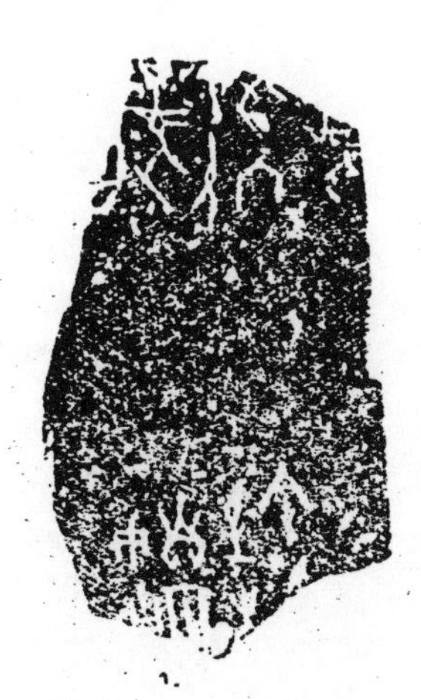

155

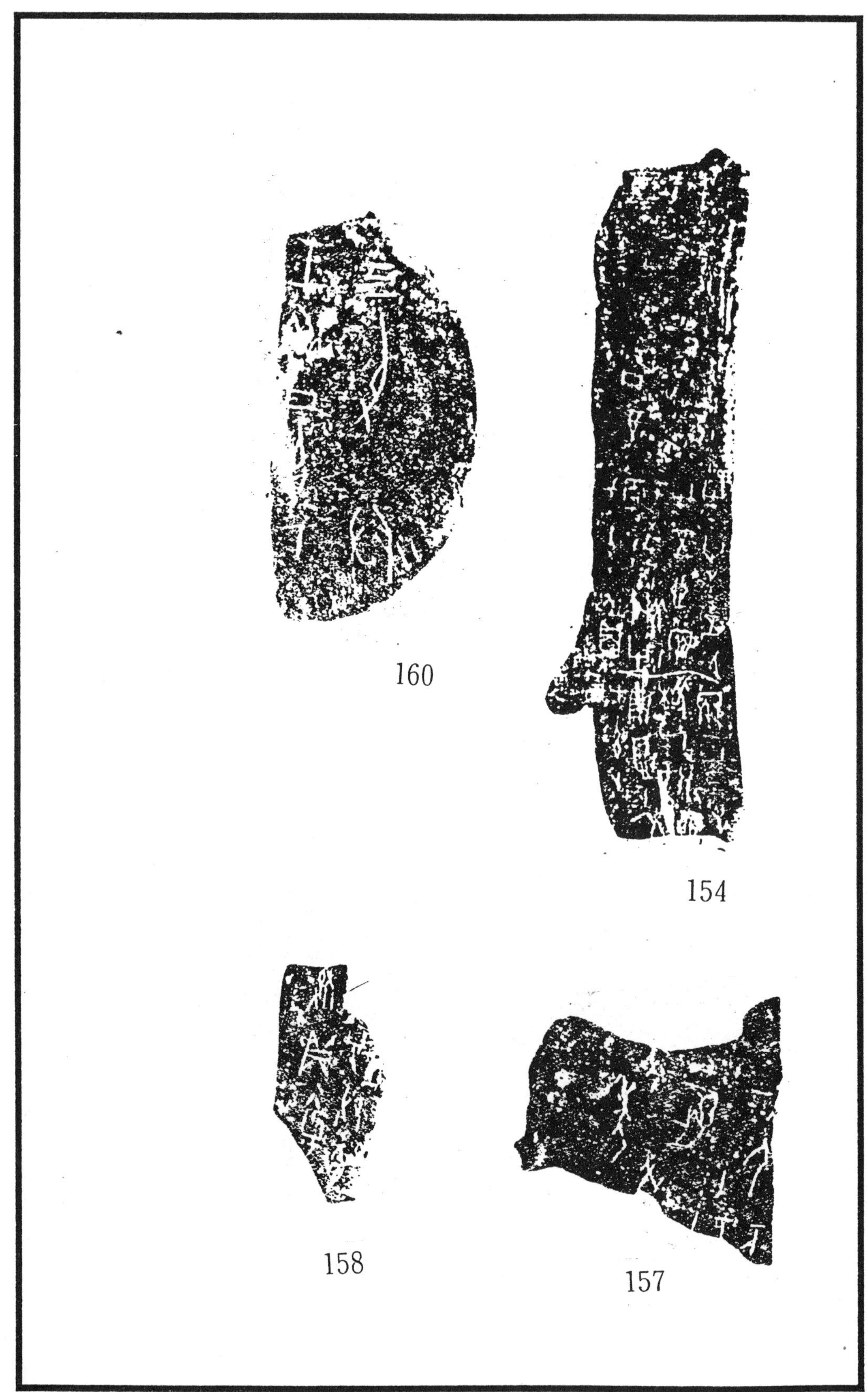

160

154

158

157

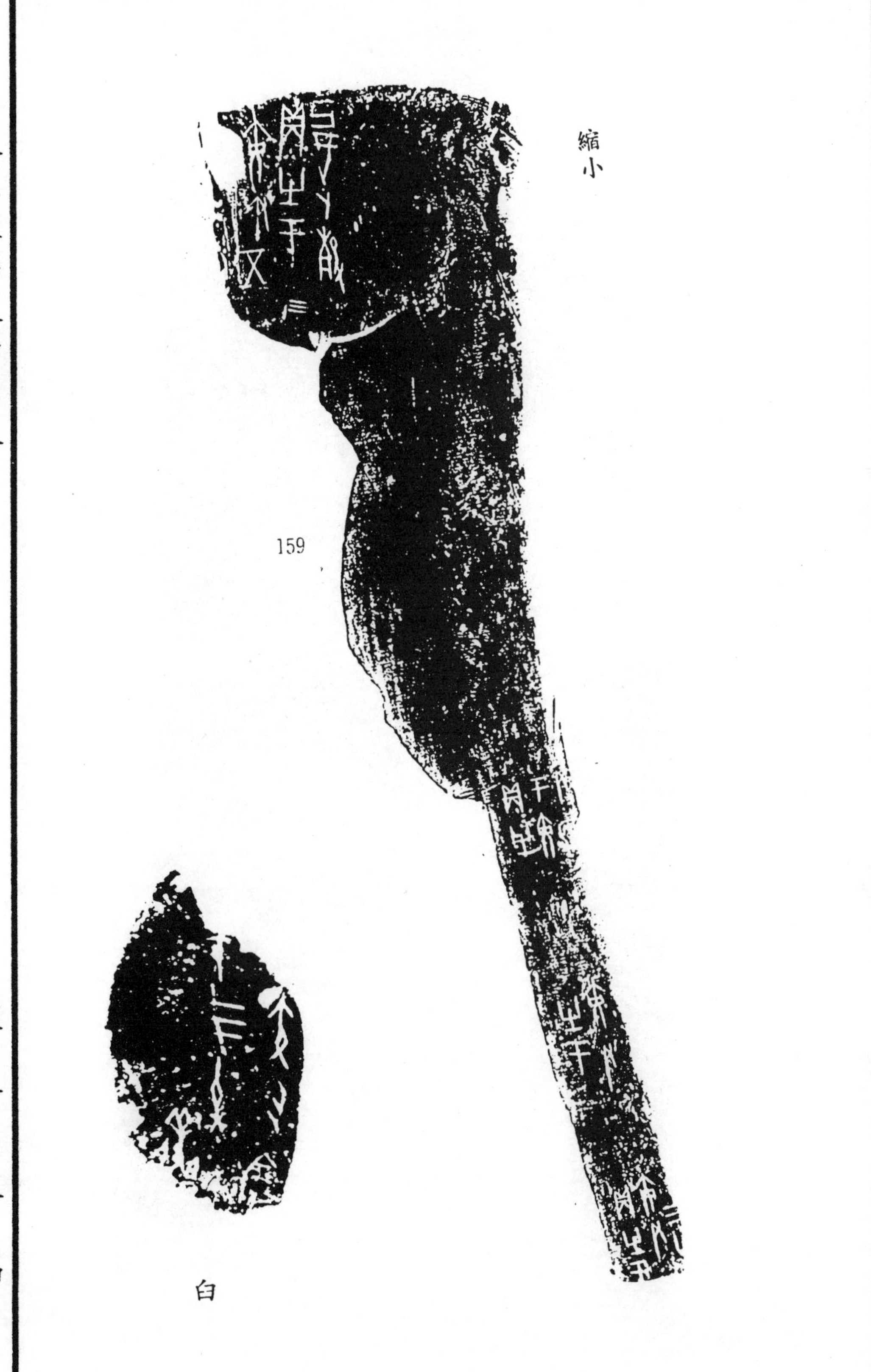
縮小
159
白

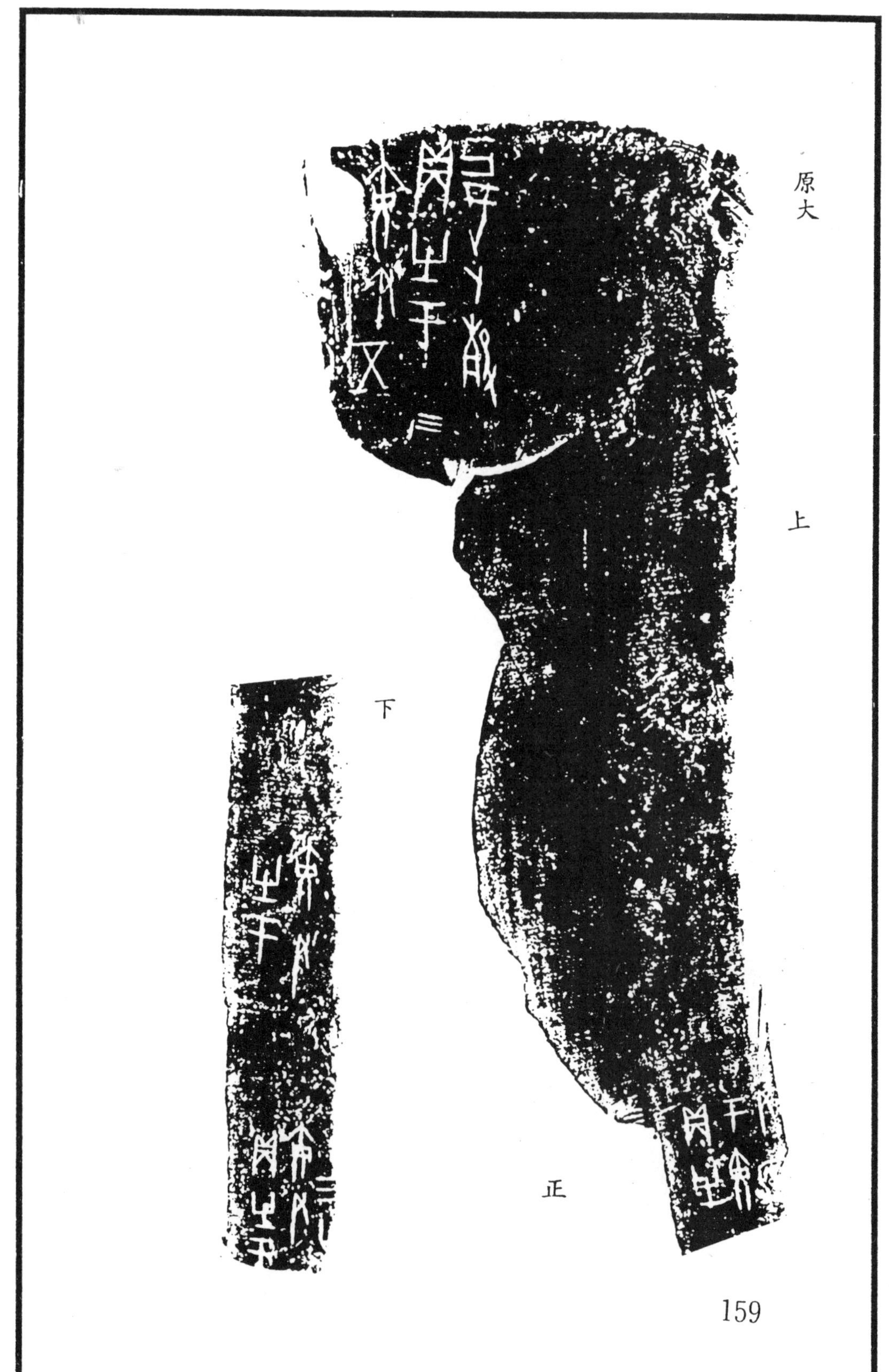
原大
上
下
正
159

163

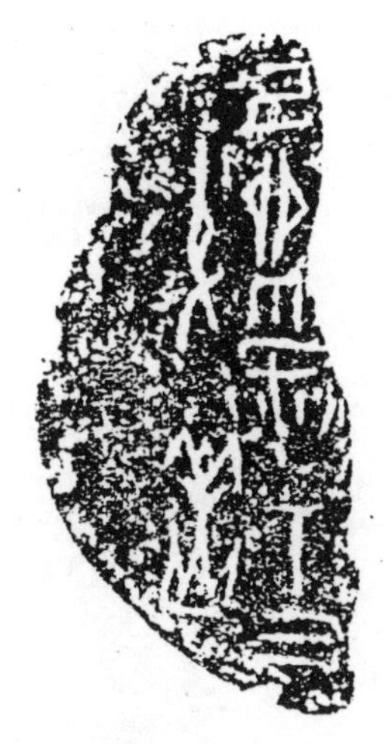

161

165

168

162

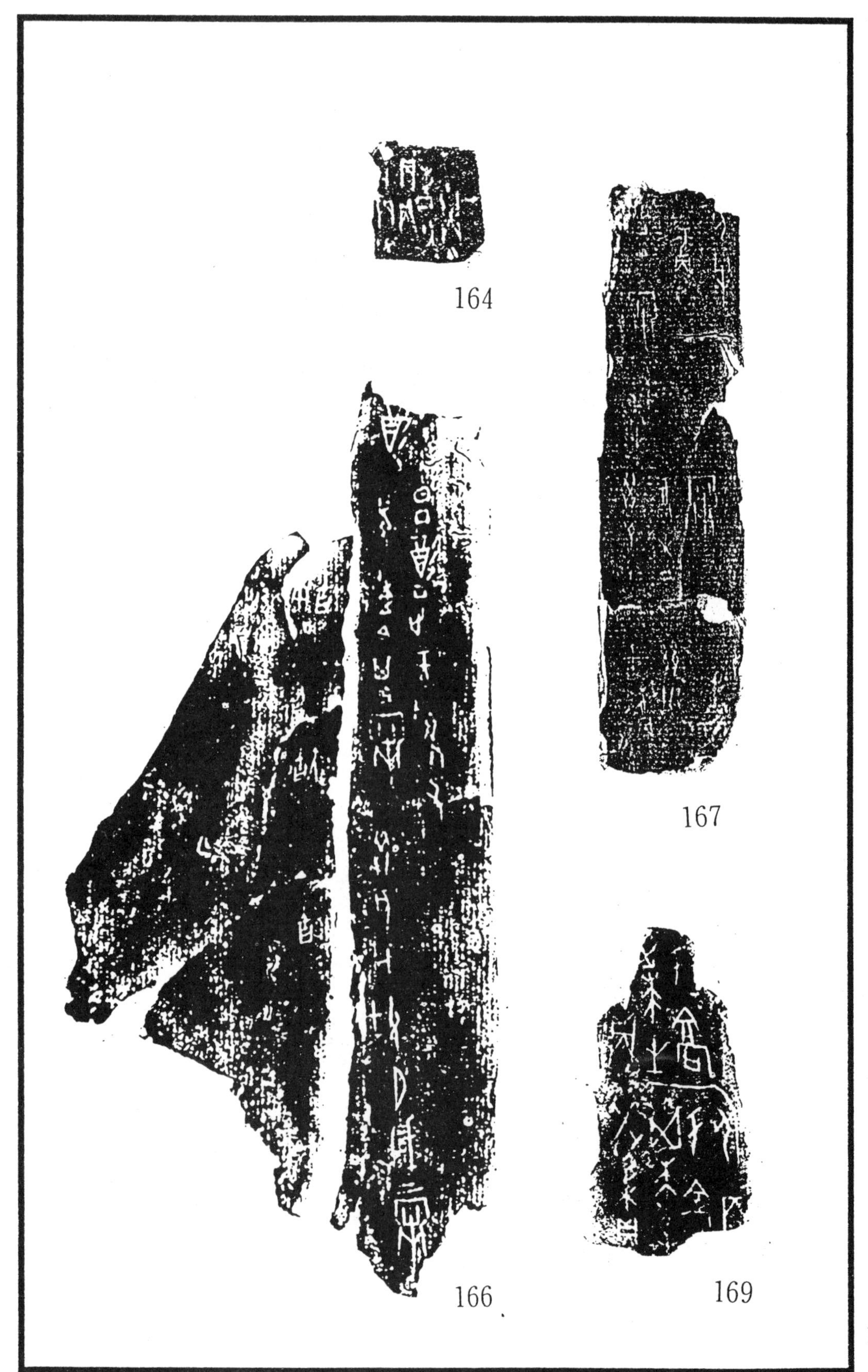
164
167
166
169

170

171

174

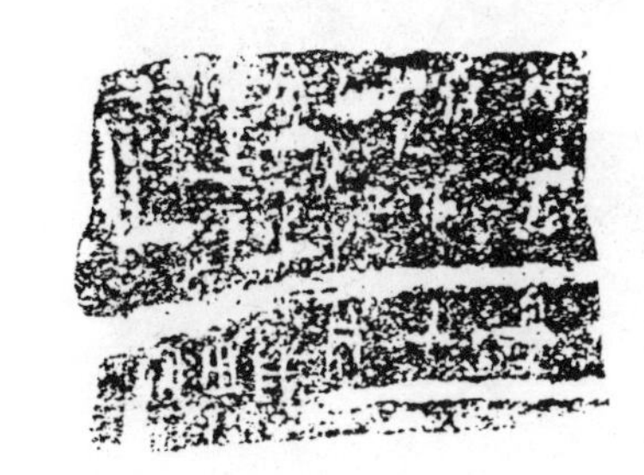
176

173

172

178

175

179

180

177

184

181

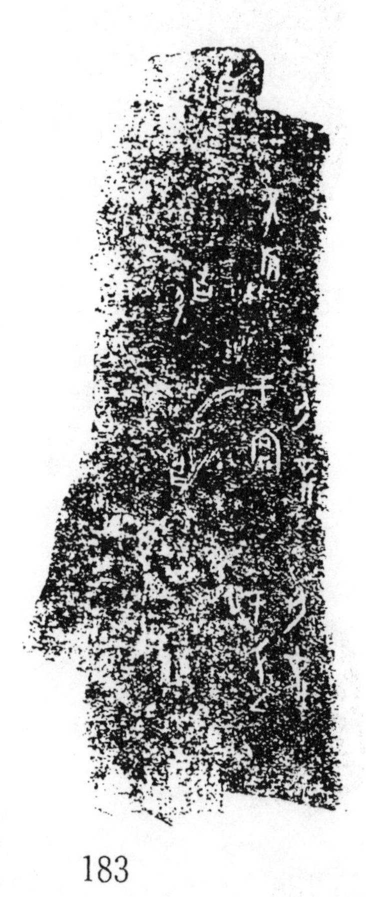

183

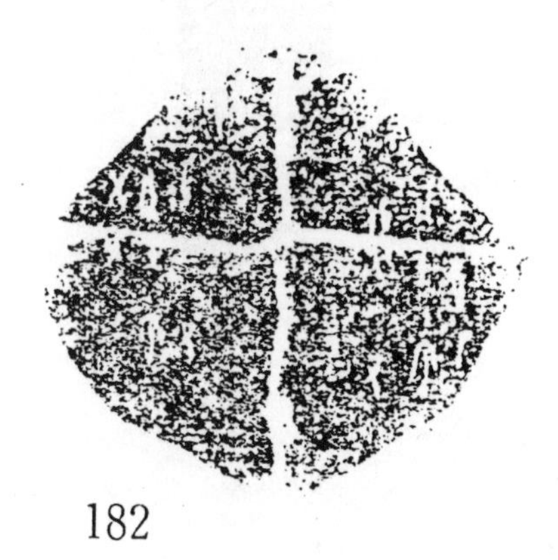

182

185

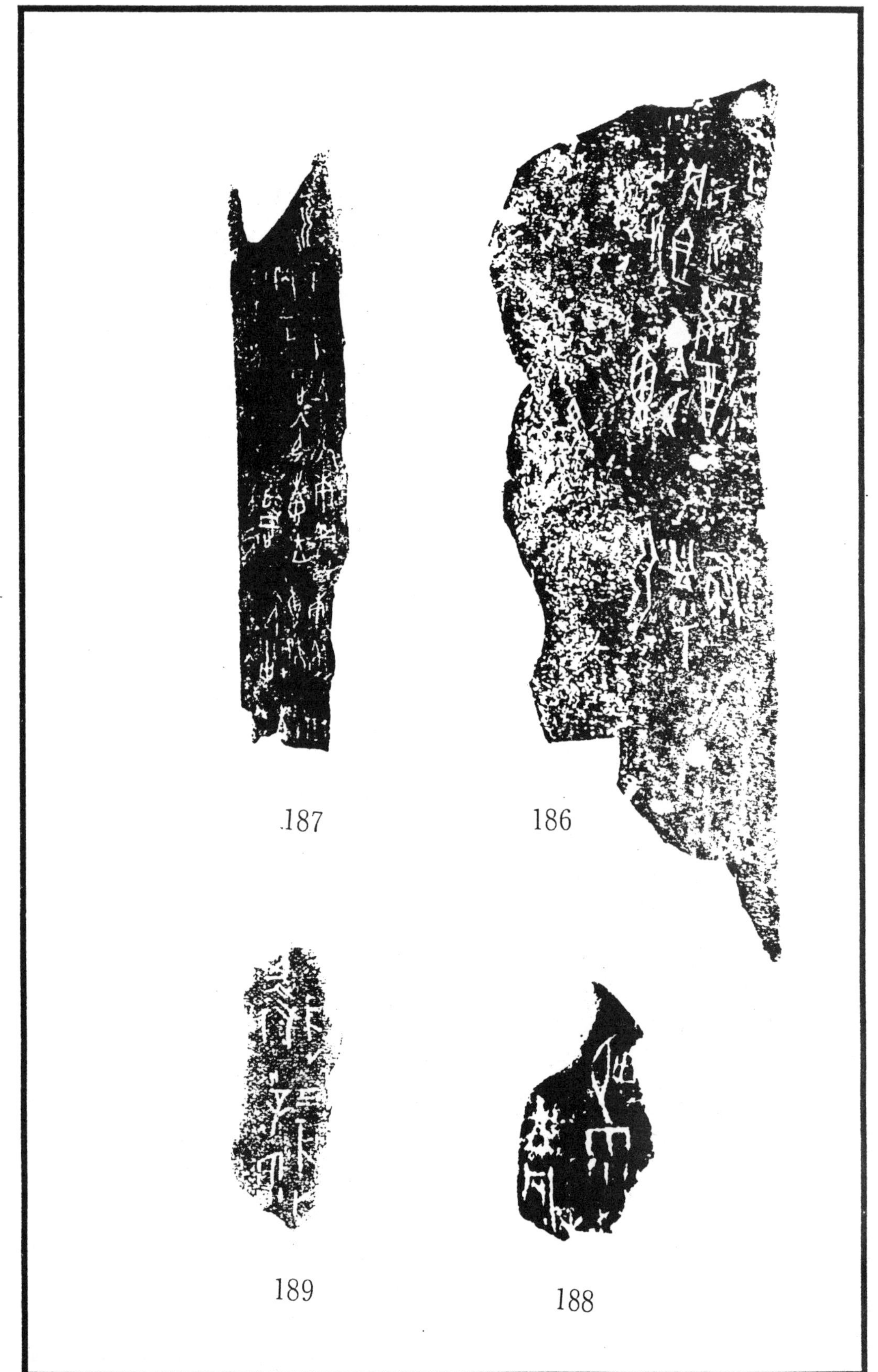

.187　186

189　188

193

190

191

192

194

195

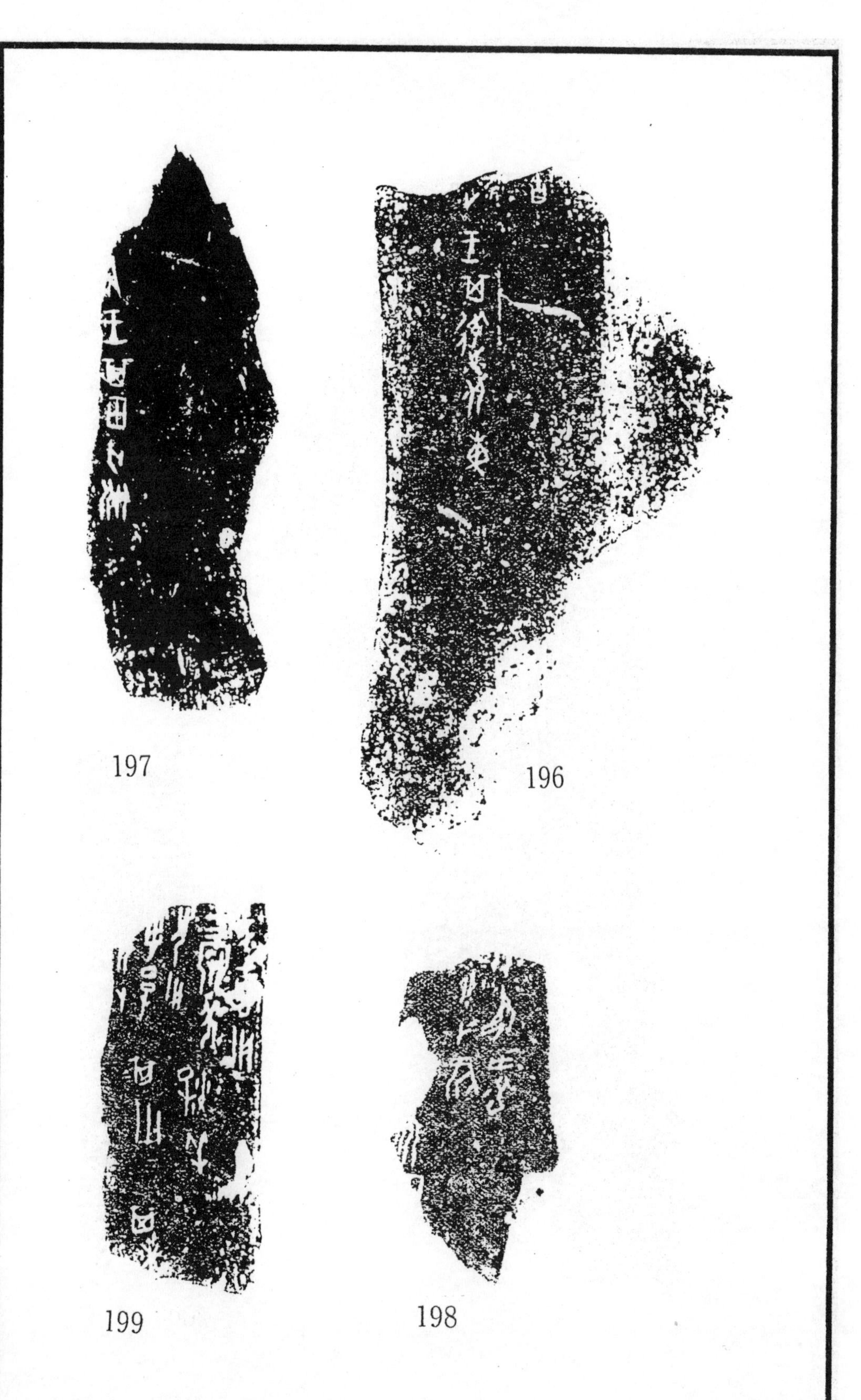

197

196

199

198

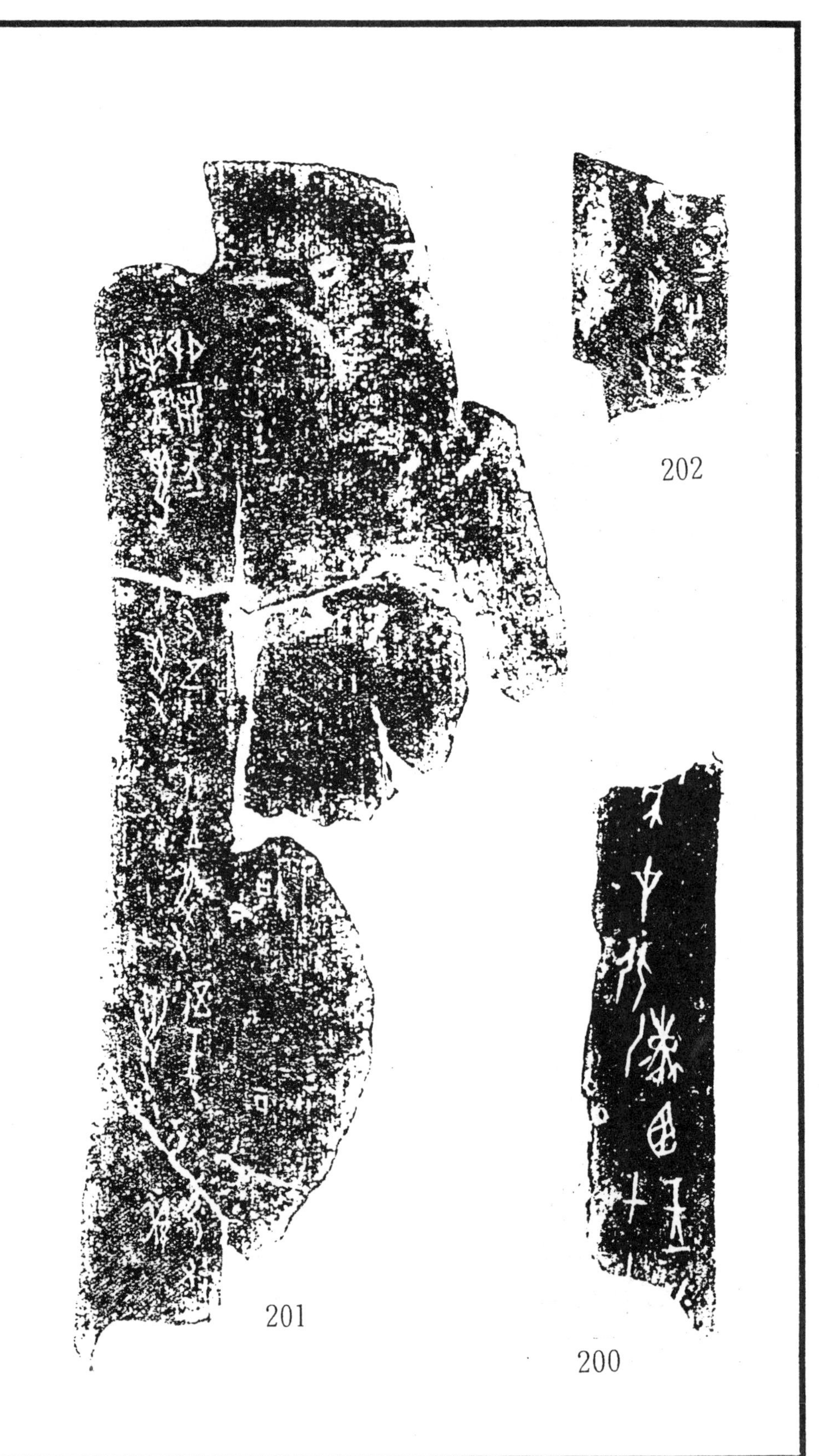
202
201
200

204

203

205

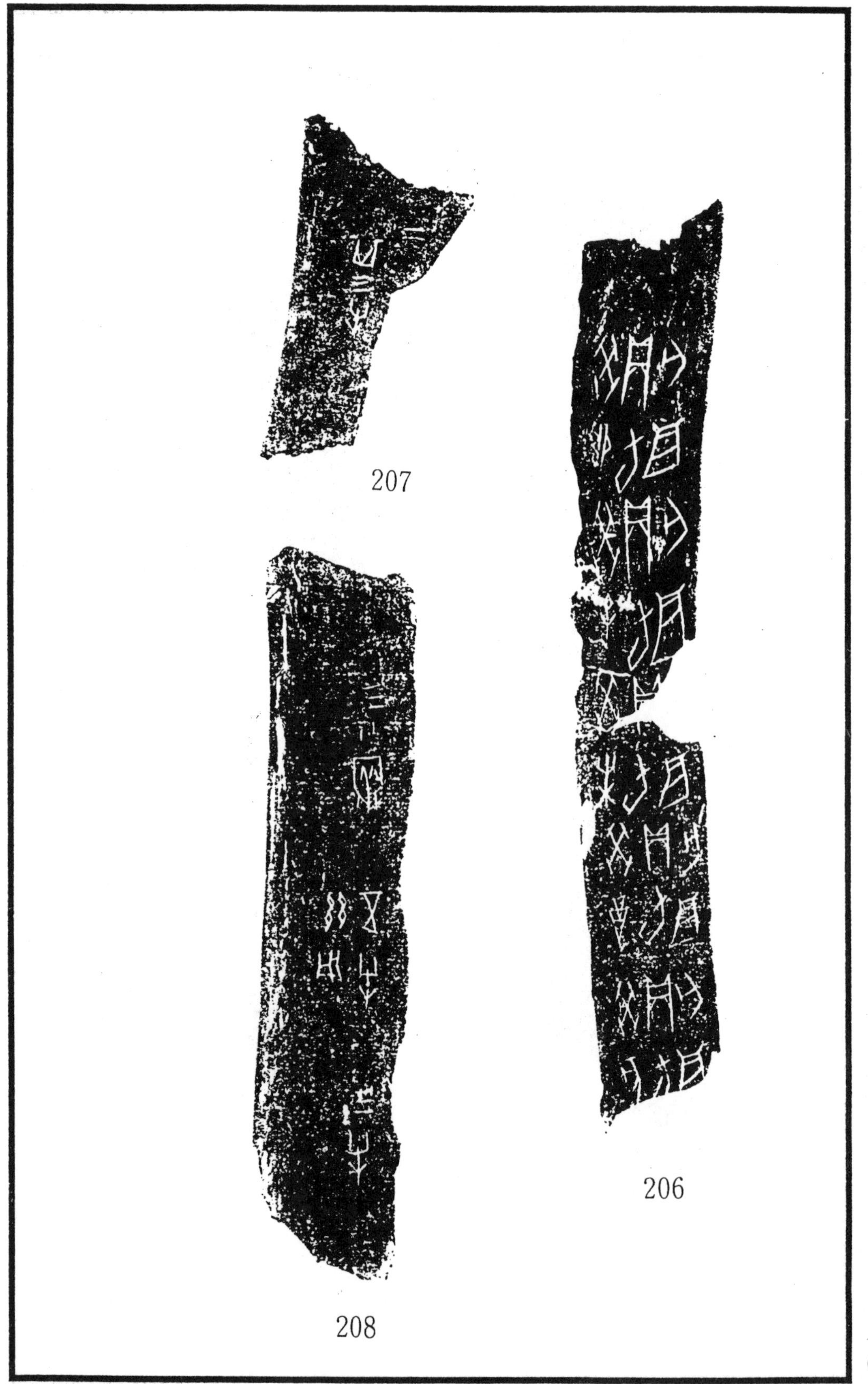

207

206

208

211

209

212

210

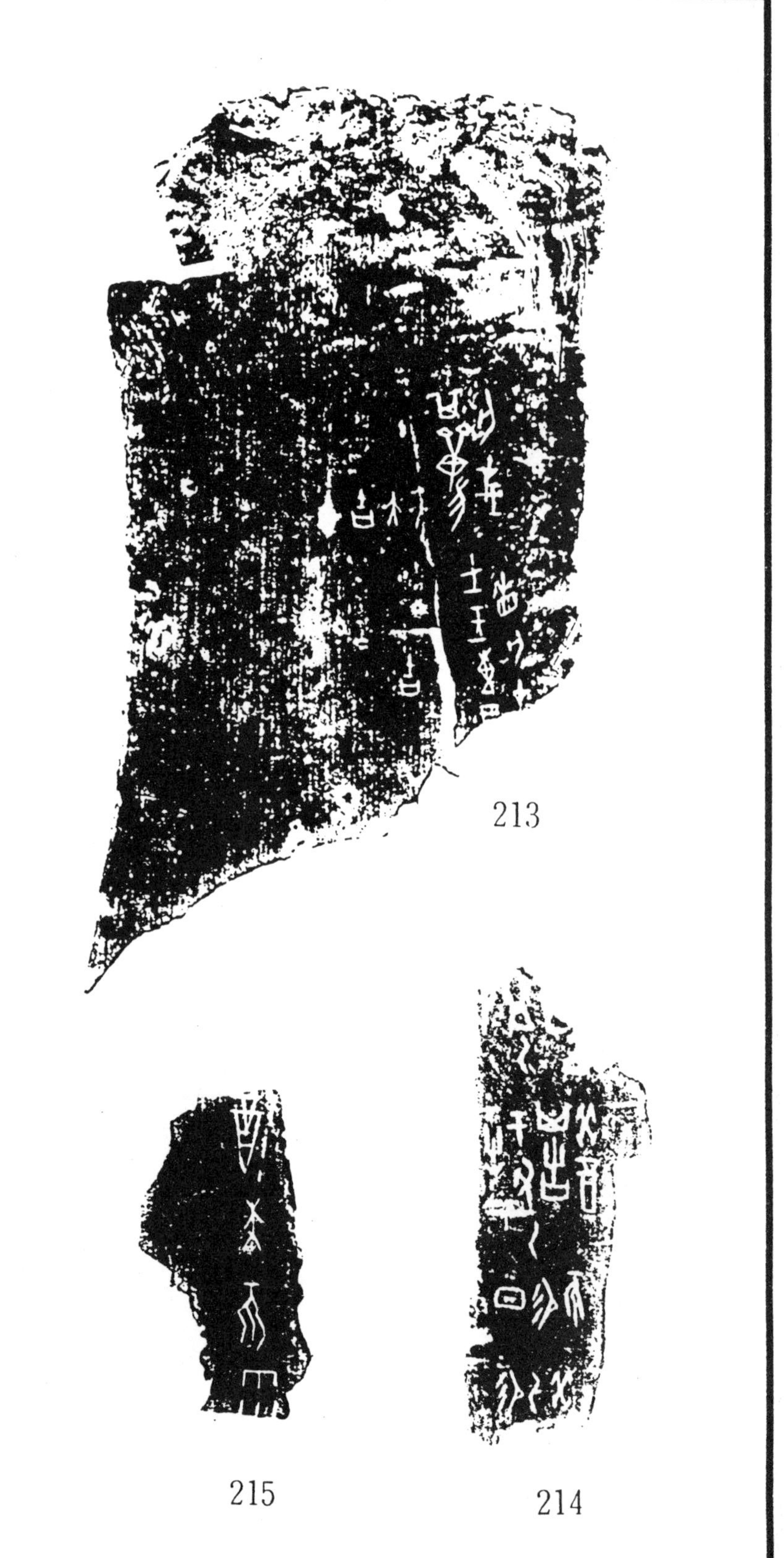

213

215

214

218

216

217

219

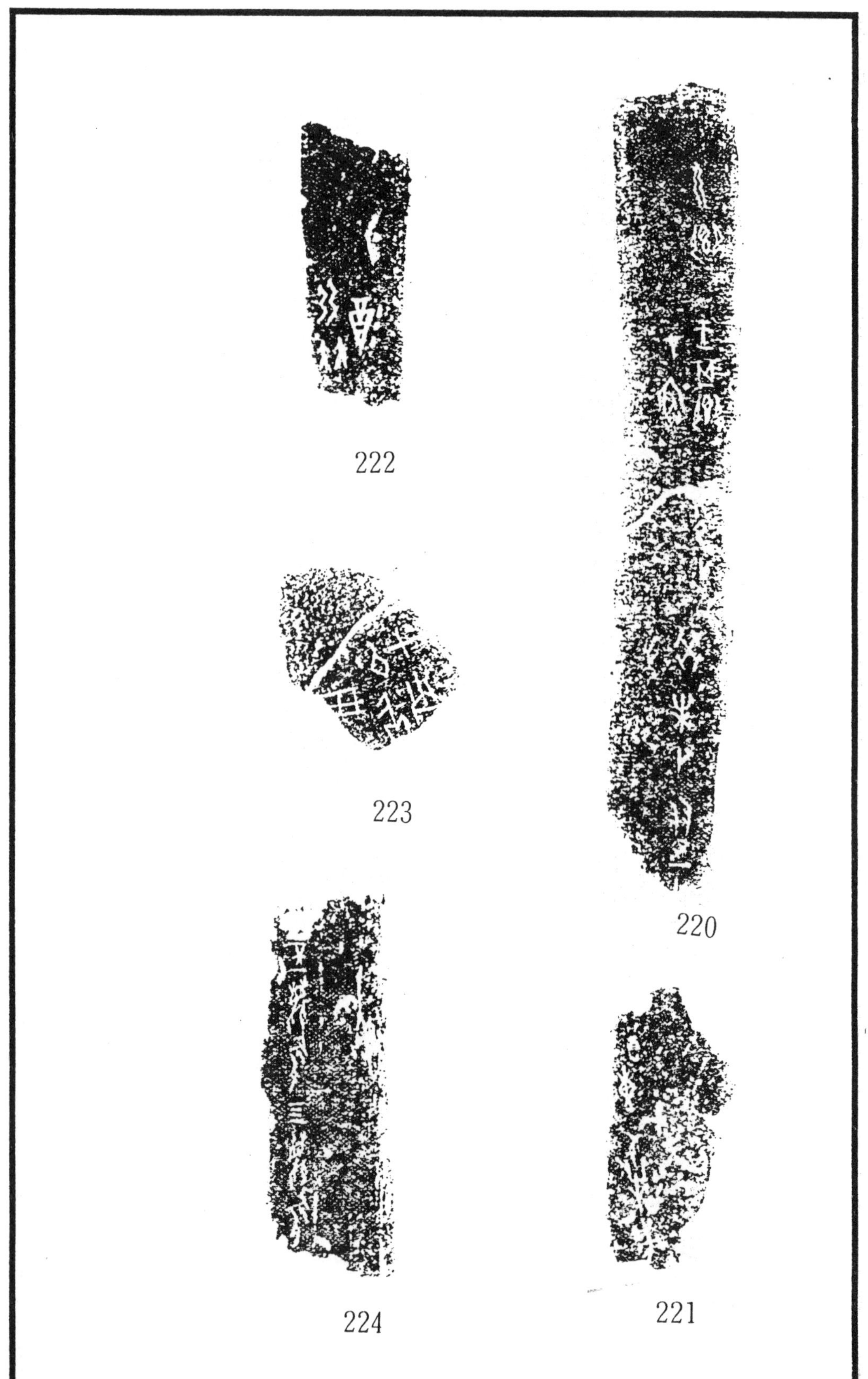

222

223

220

224

221

226

225

229

227

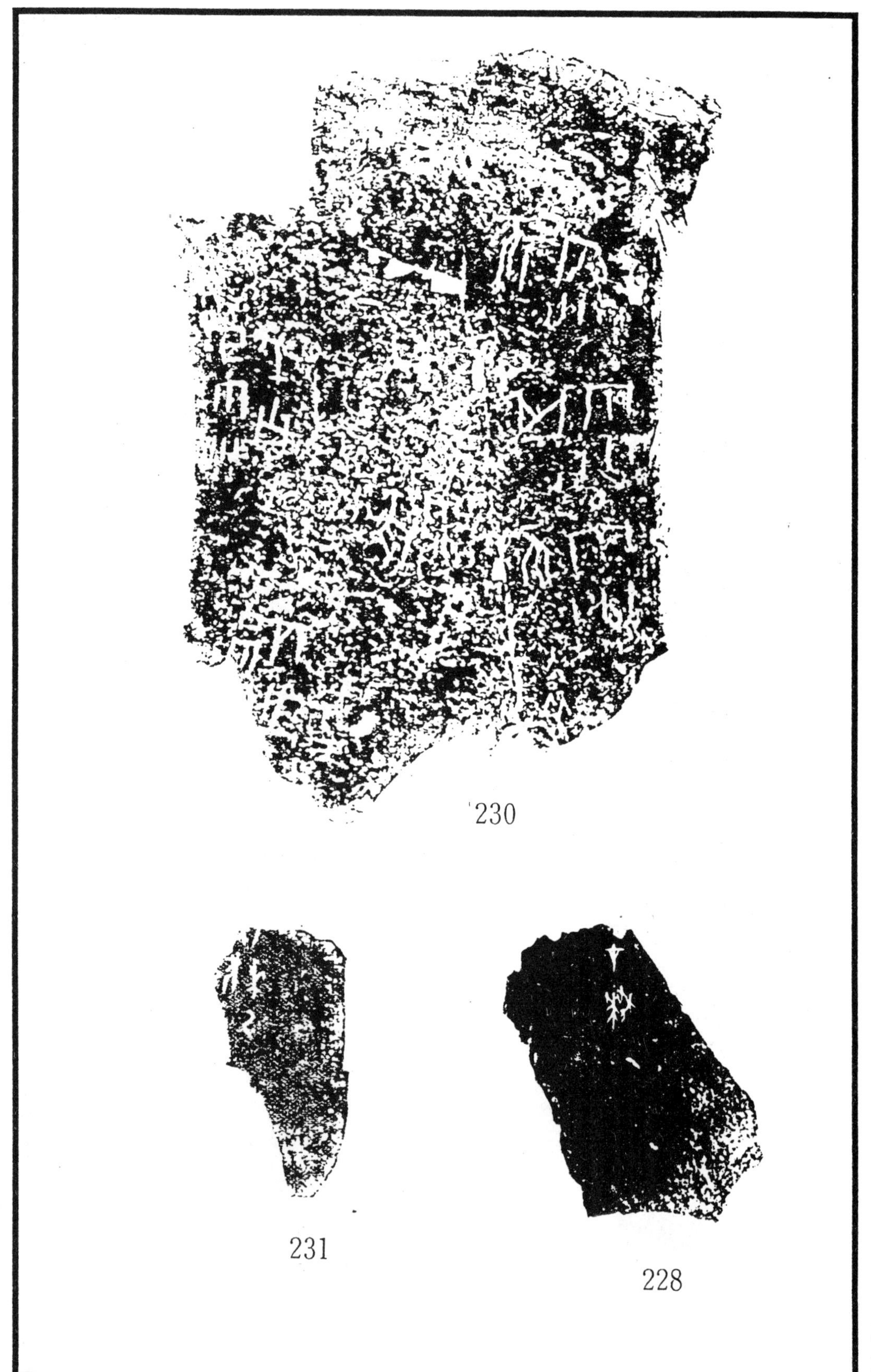

230

231

228

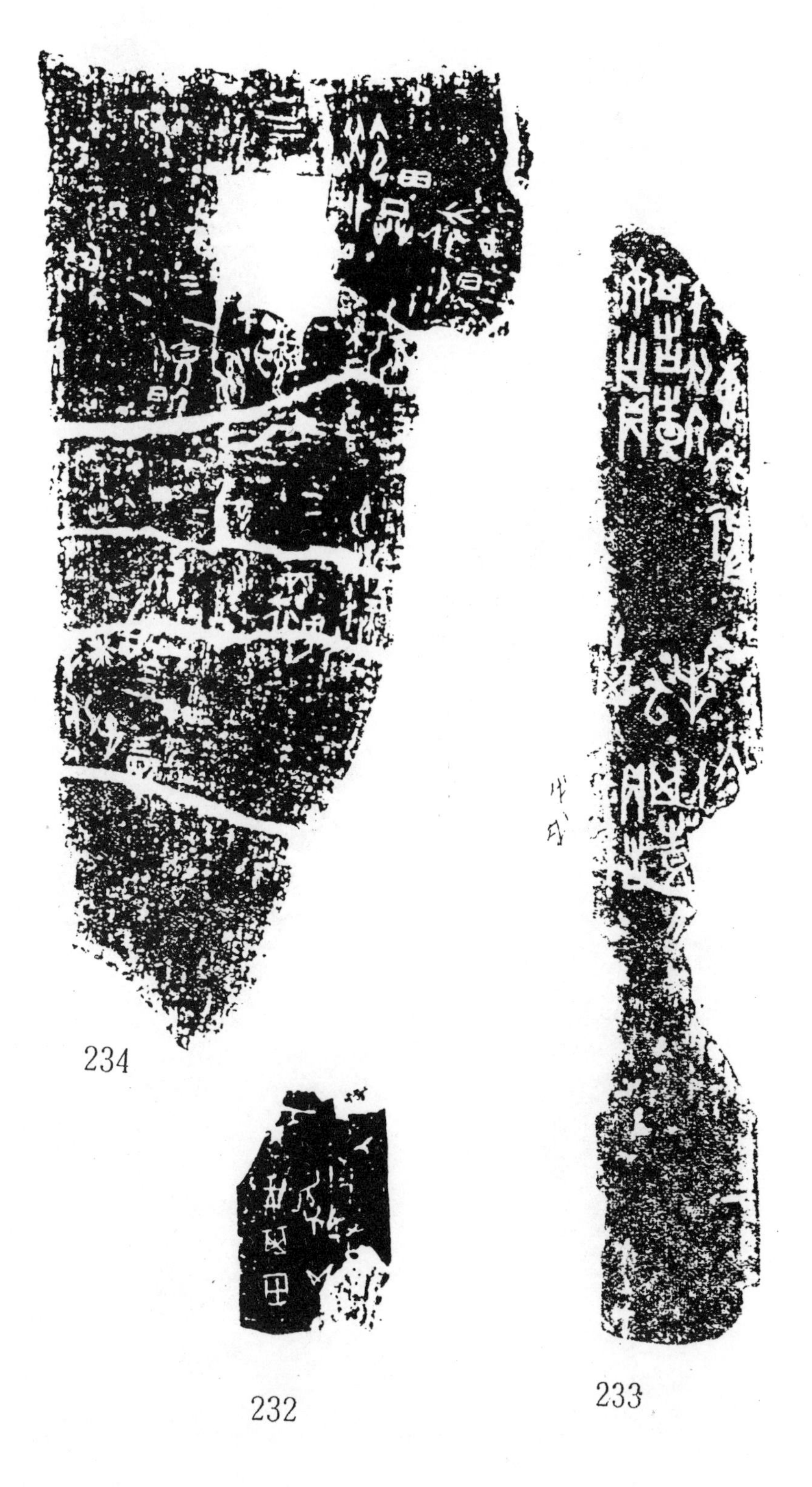

234

232

233

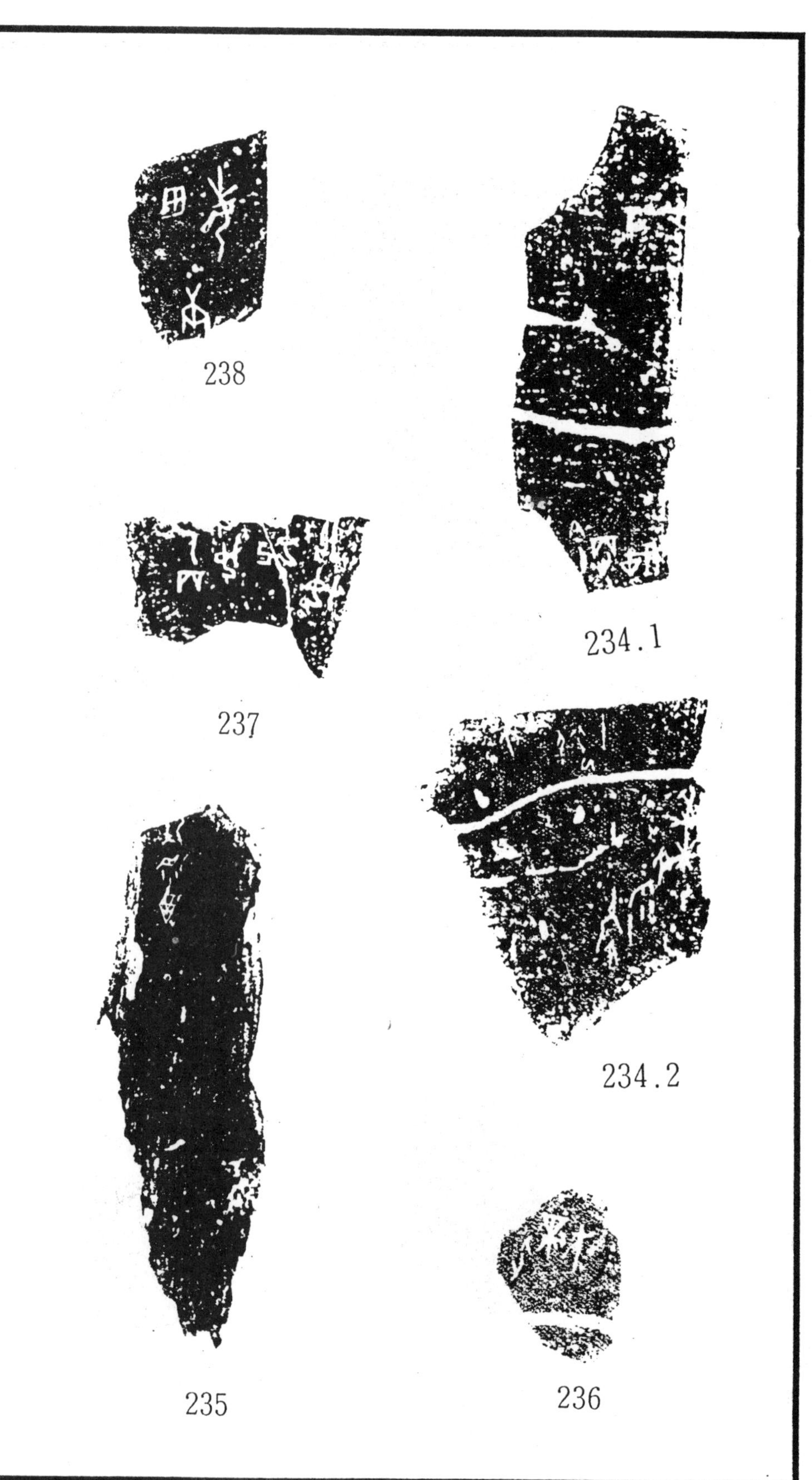

238 234.1 237 234.2 235 236

239

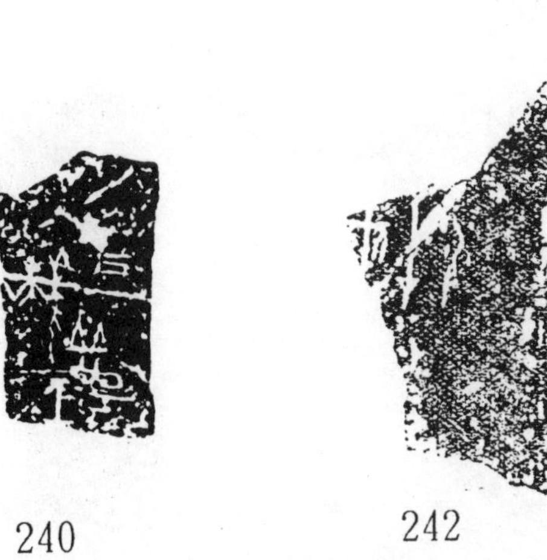

240　　242

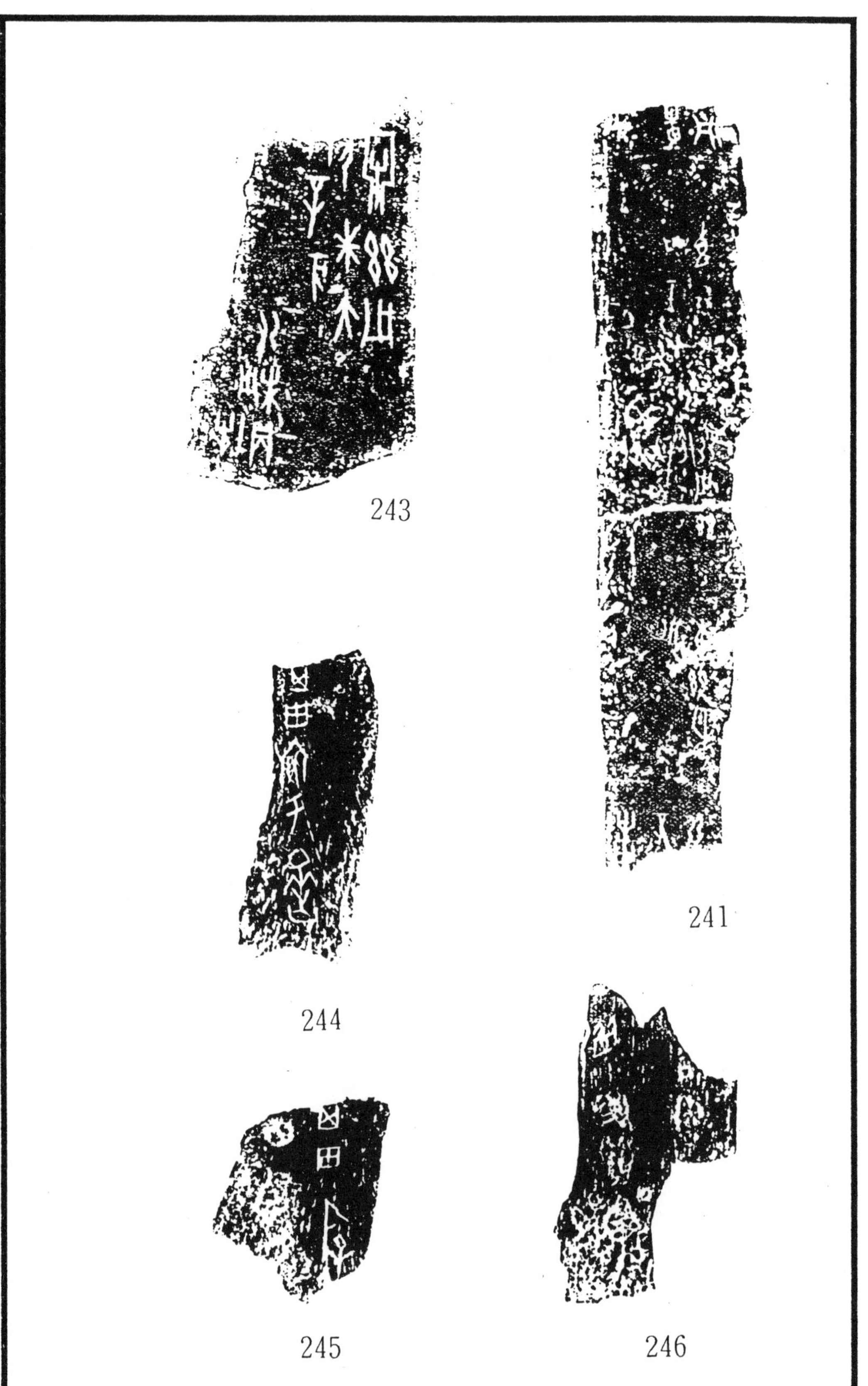

243

241

244

245

246

250

248

247

249

251

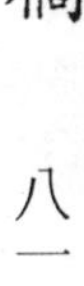

254

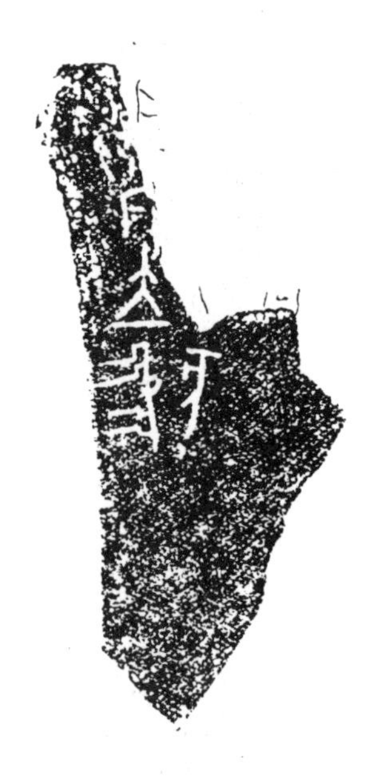
252

253

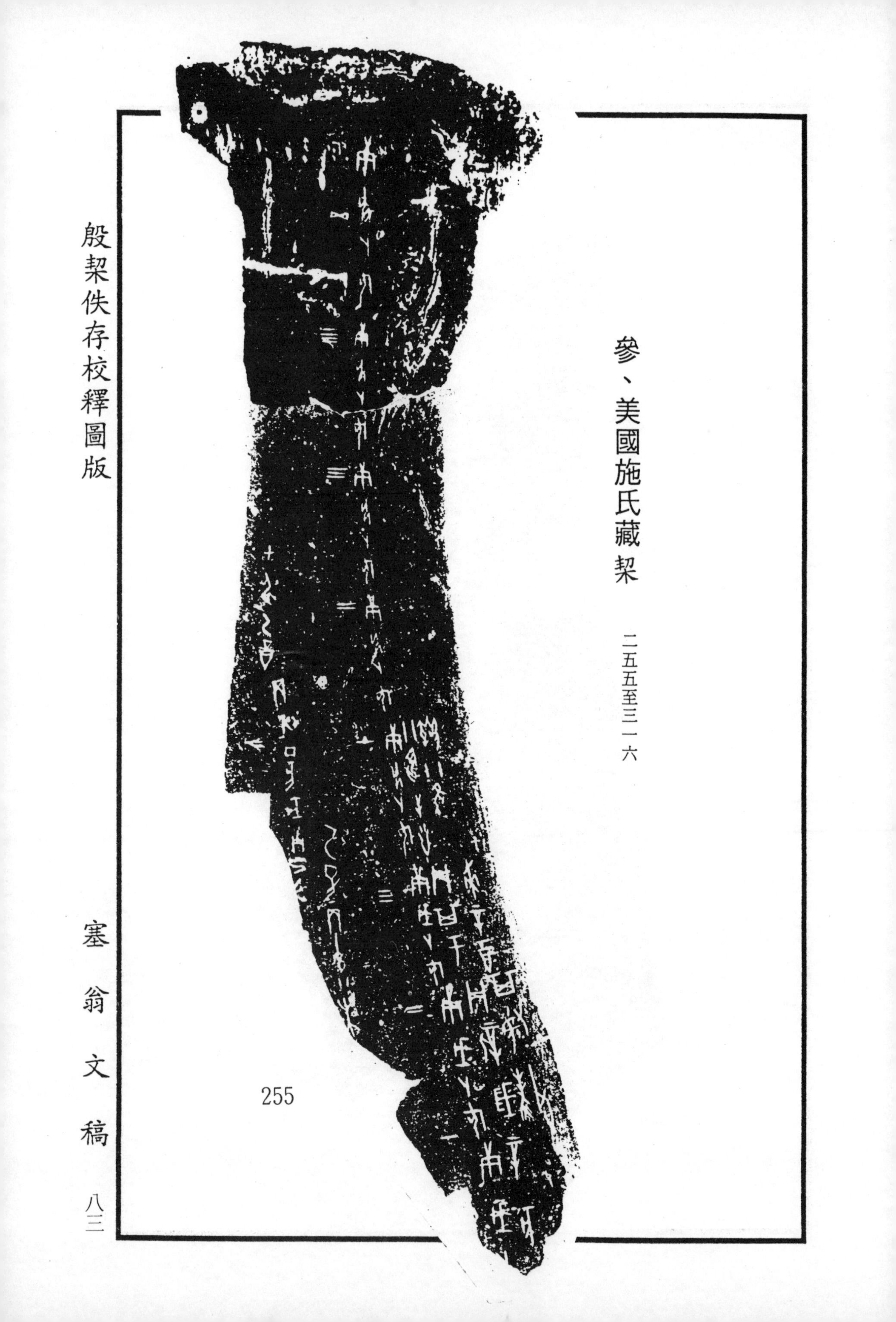

參、美國施氏藏契

二五五至三一六

255

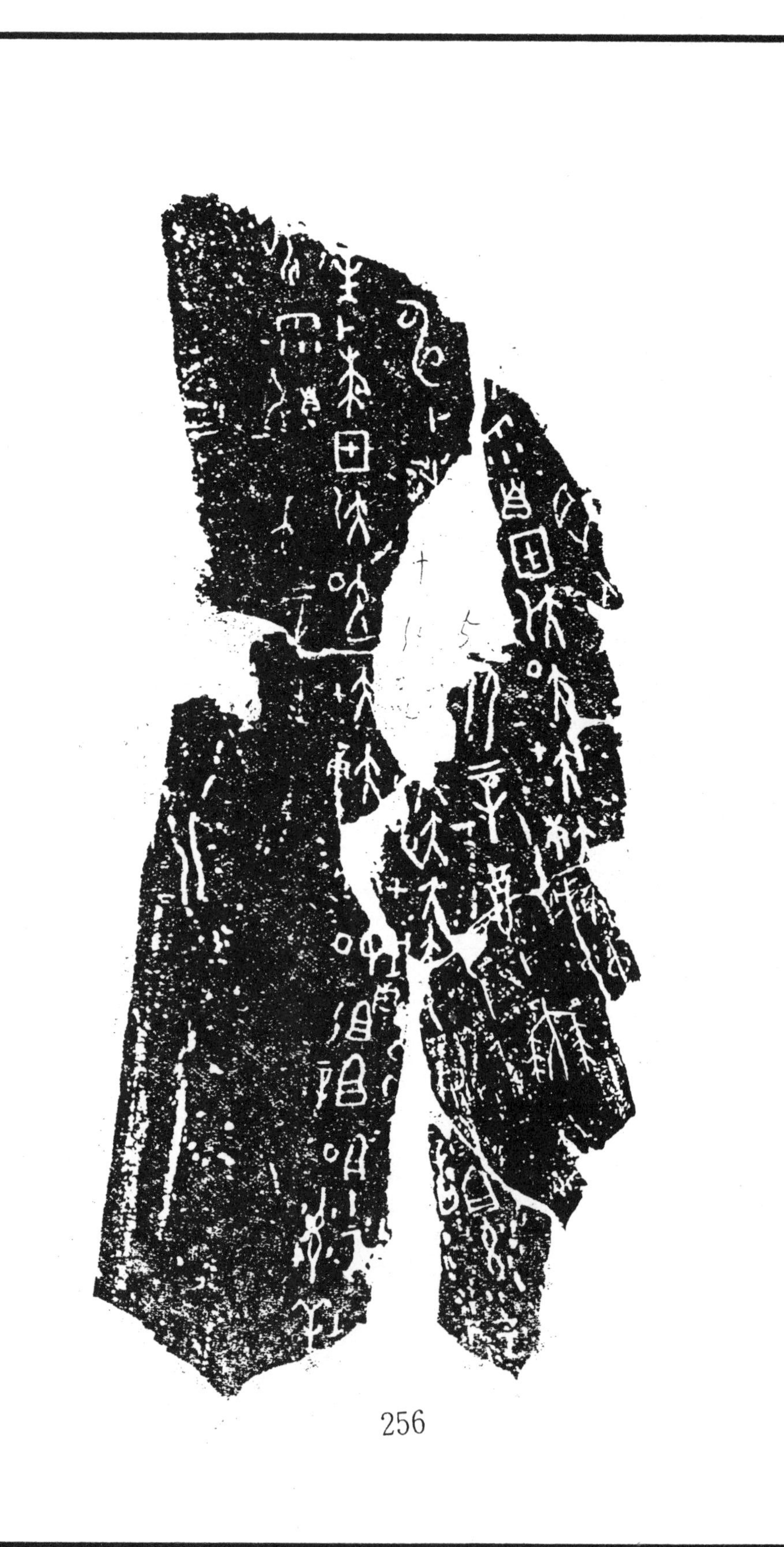

256

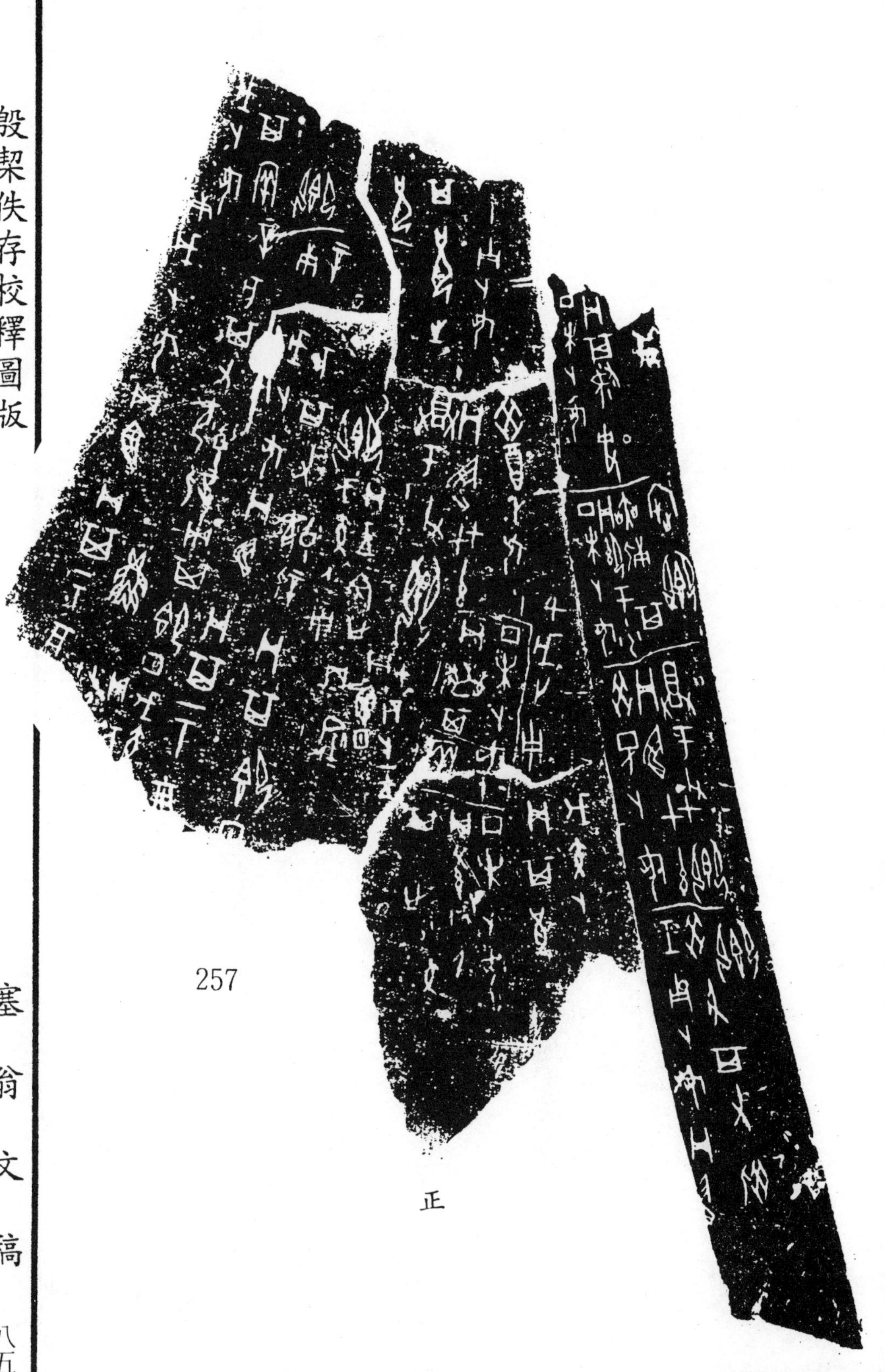

257

正

反

261

258

262

259

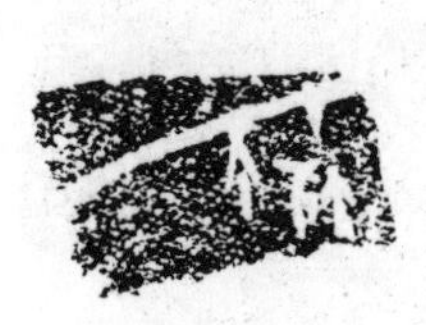
263

260

268

264

265

269

266
已綴入 257
删

270

267

271

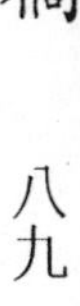

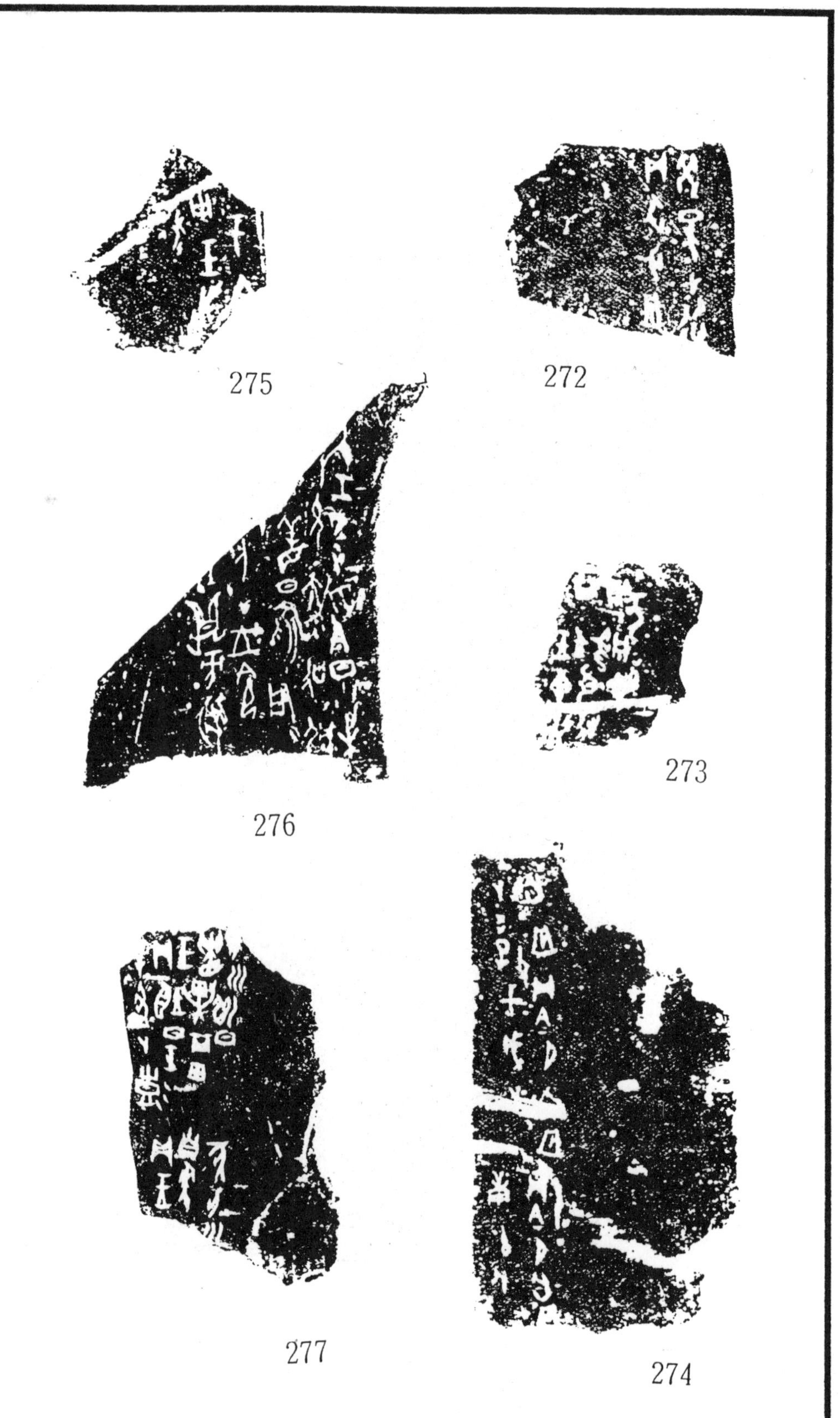
275
272
276
273
277
274

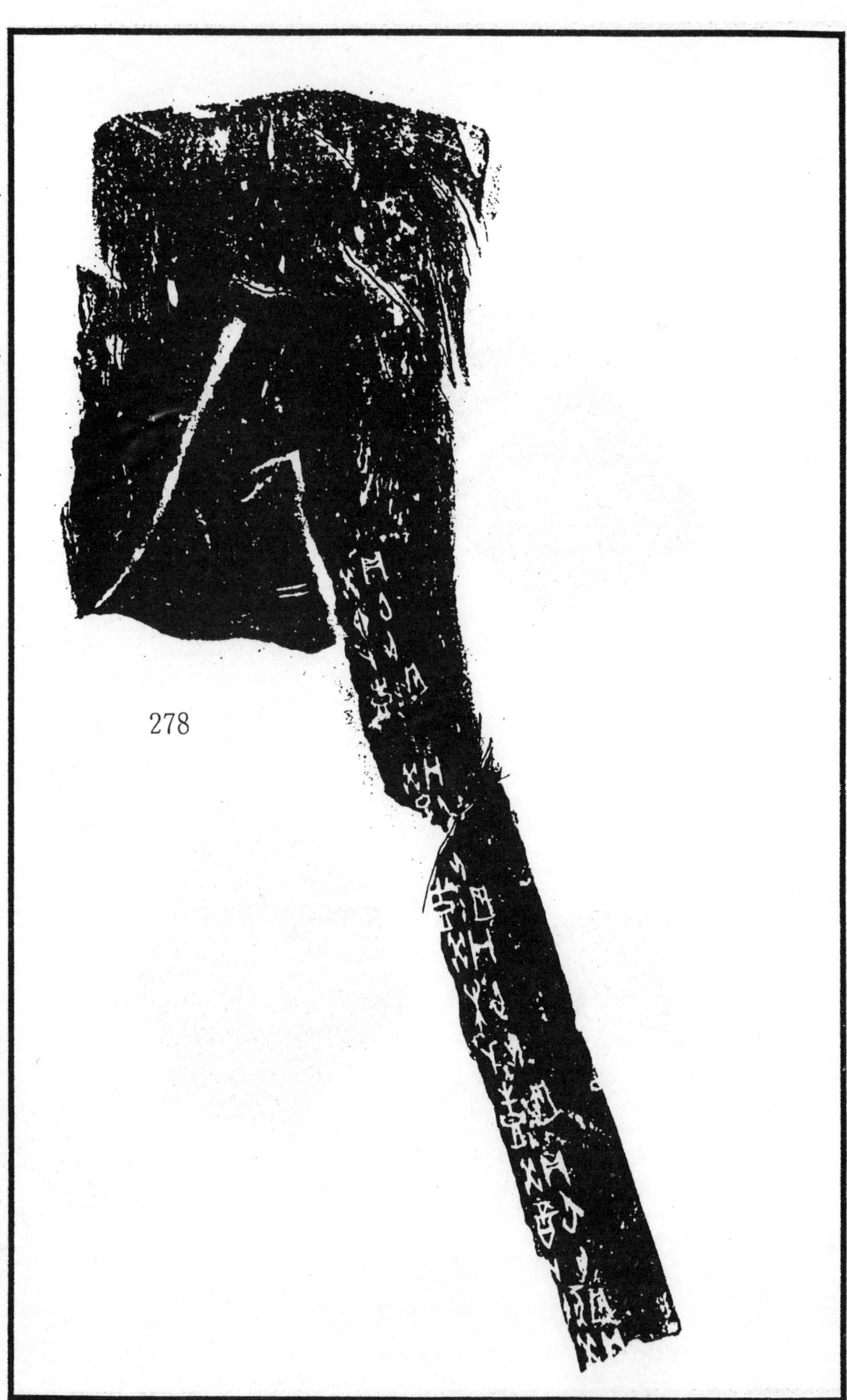

278

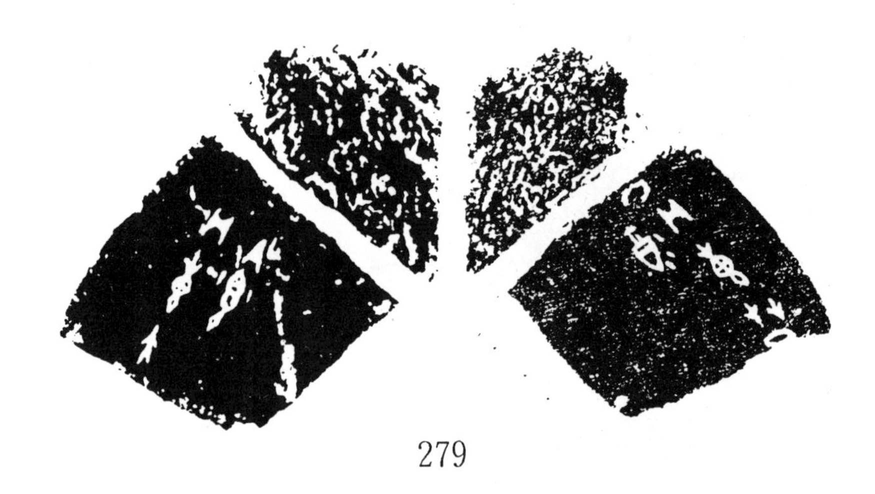

279

280

281

282
284

285

286　283

287 已綴入 283
刪

290

288

292

291

293

289

294

295

296

297

298

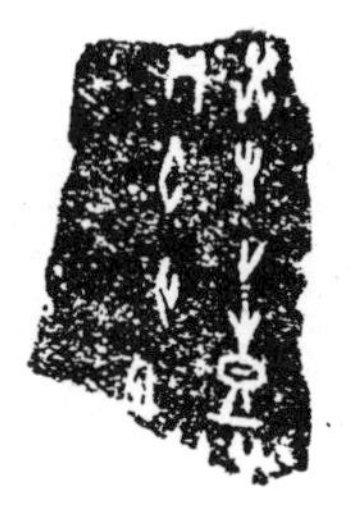

299

300 正

反

301

306

302

307

305

308

304

311

309

314

303

312

310

313

315

316

肆、王富晉氏藏契

三一七至三四三

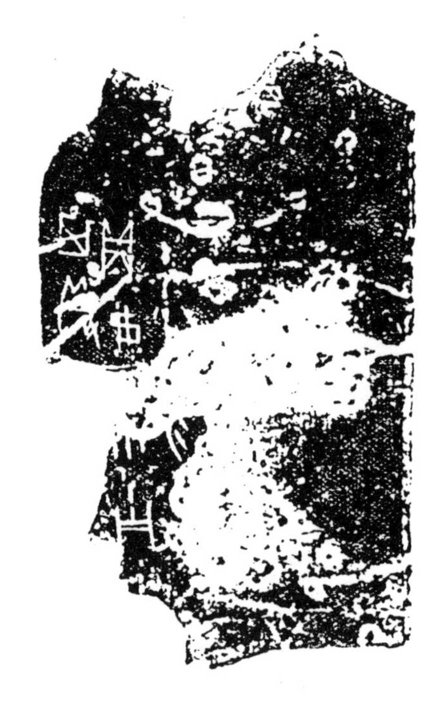

317

318

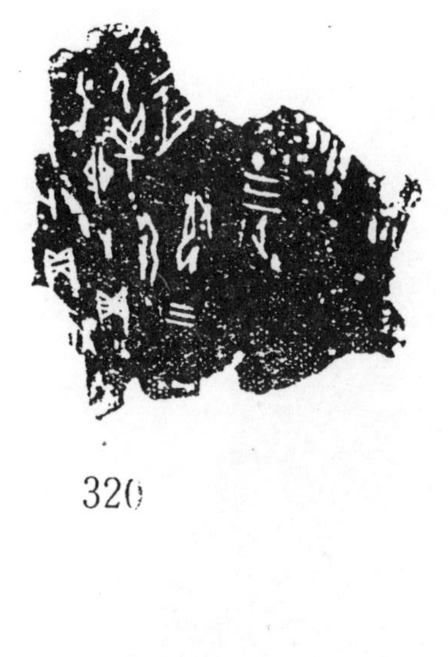

320

319

322

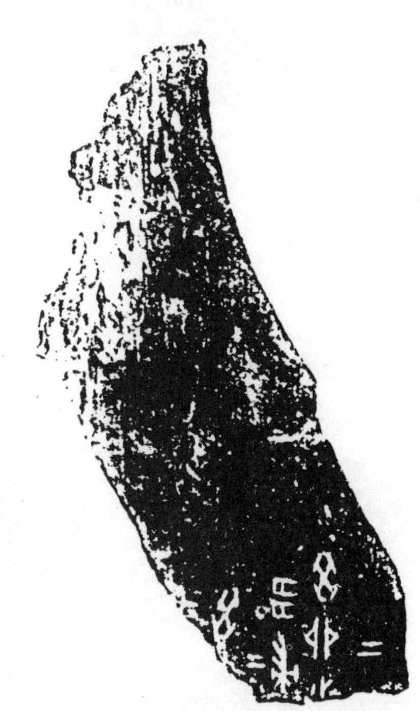

321

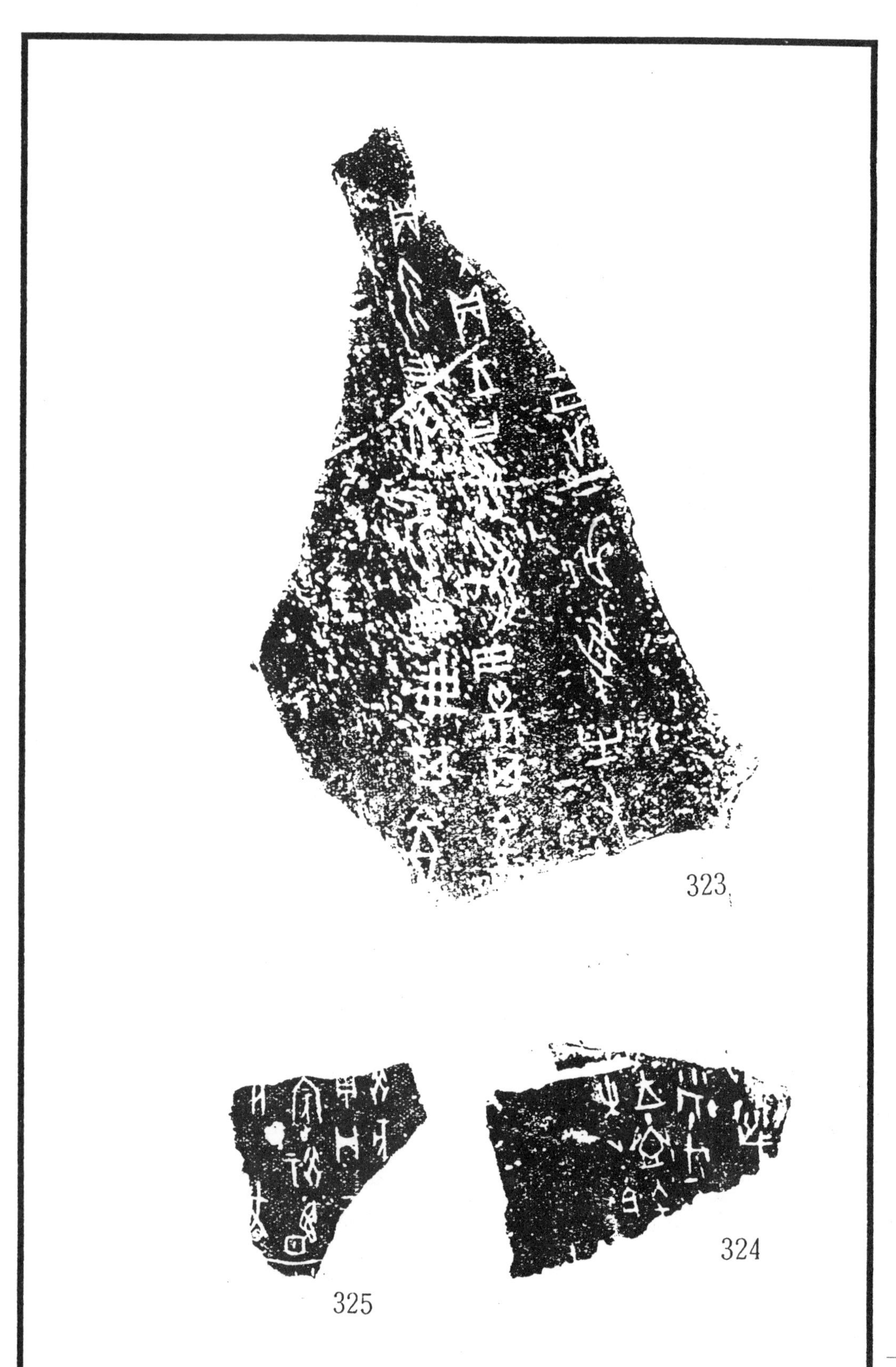

323

325

324

正

326

328 反

332

327

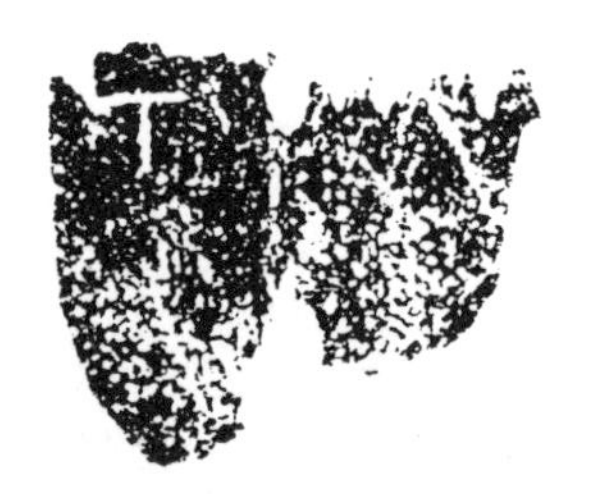

329

反　　正

反　330　正

反　331　正

333

正

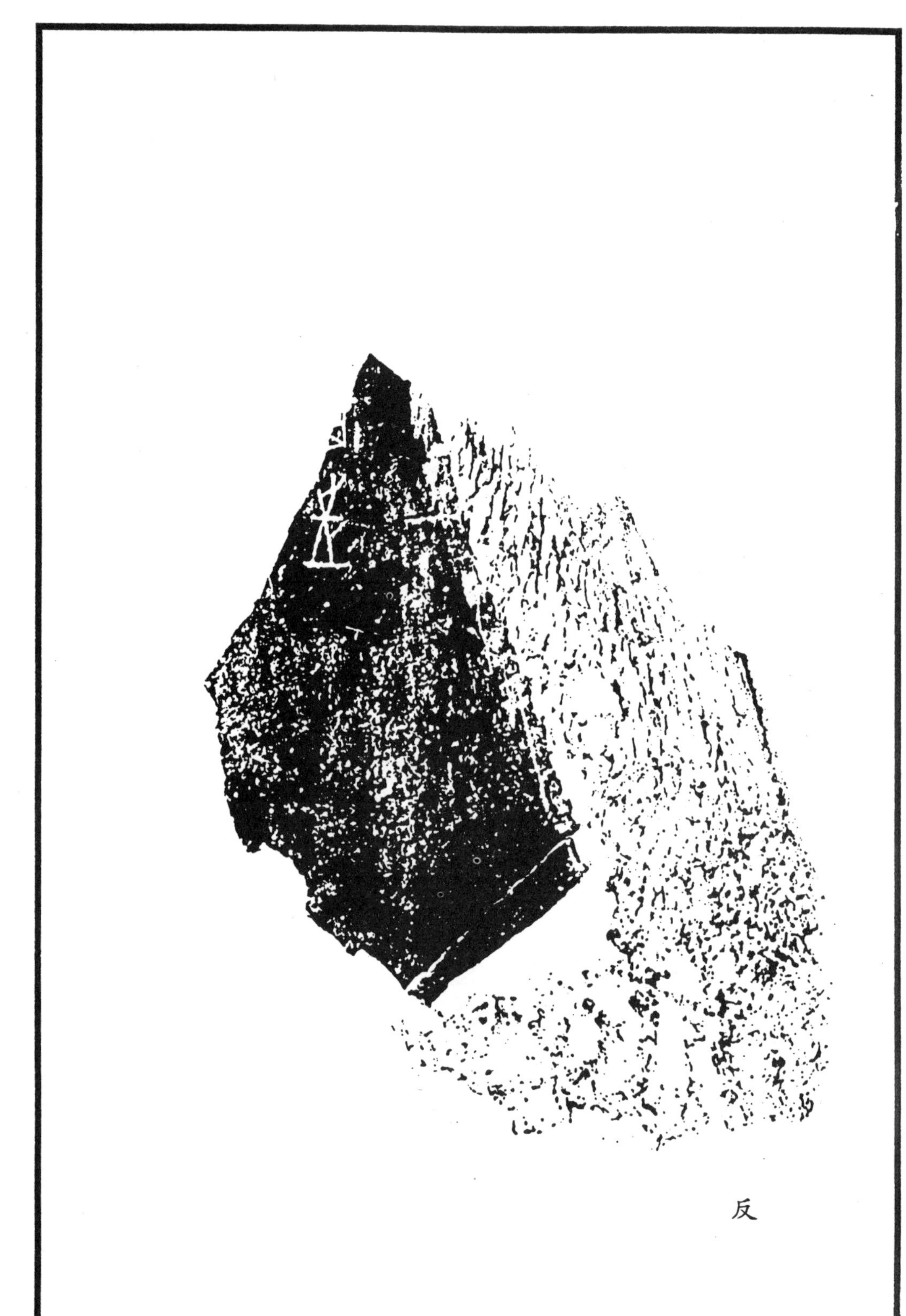

反

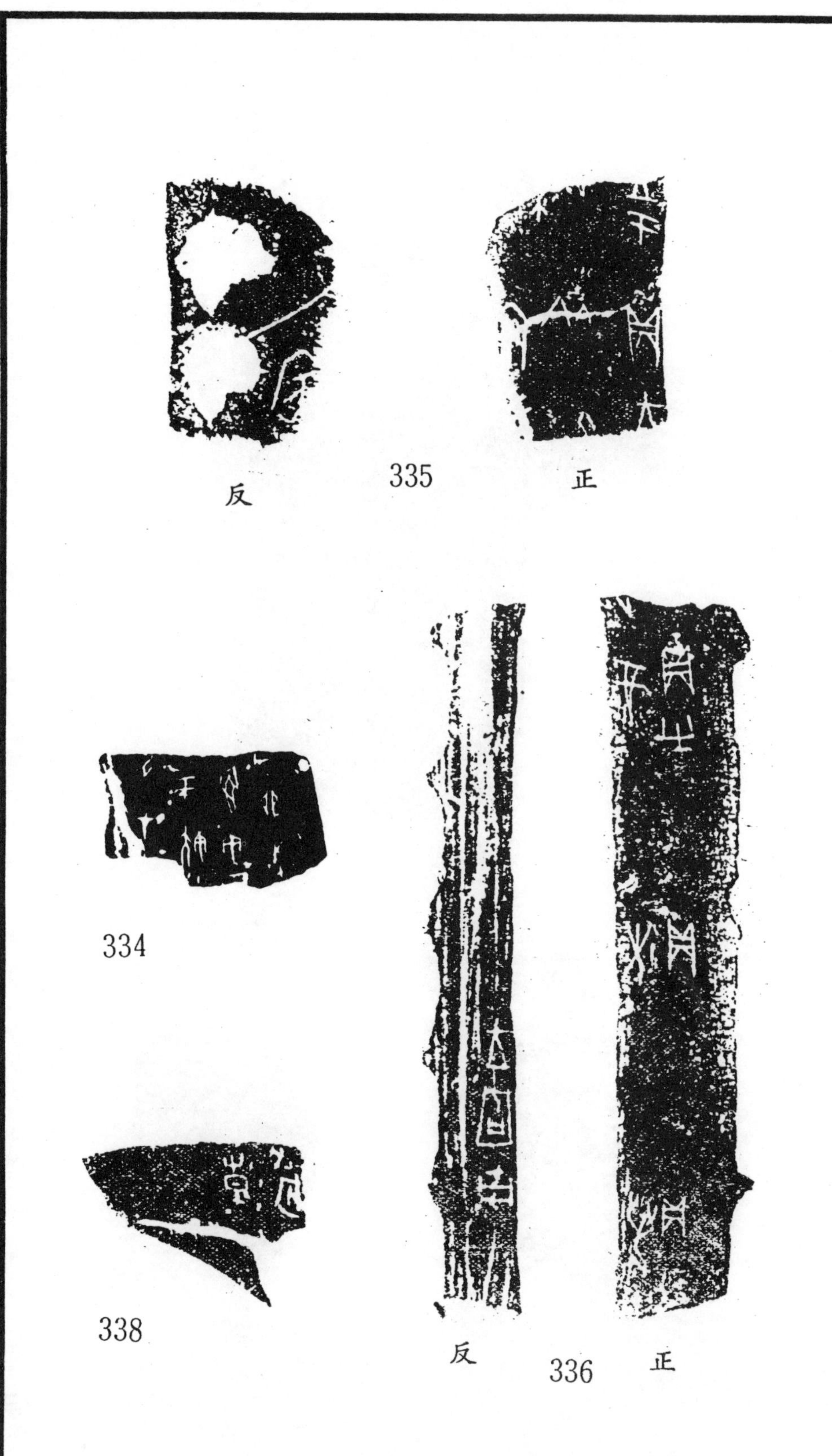

335 反 正

334

338

336 反 正

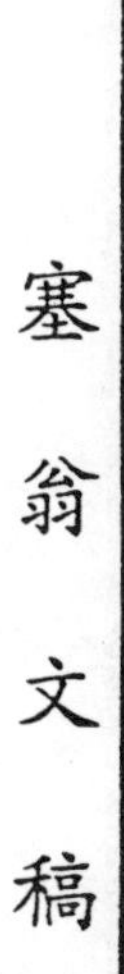

339

337

341

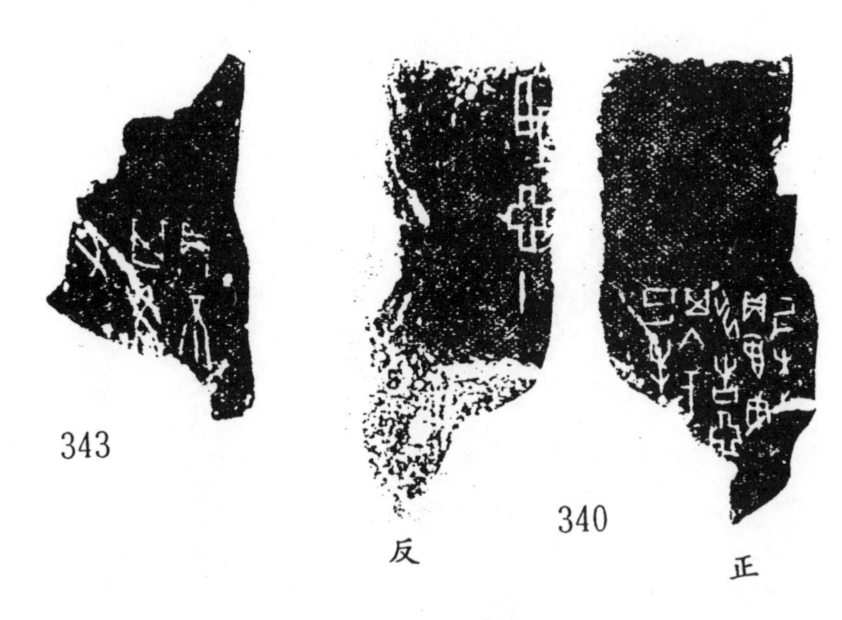

343

340

反

正

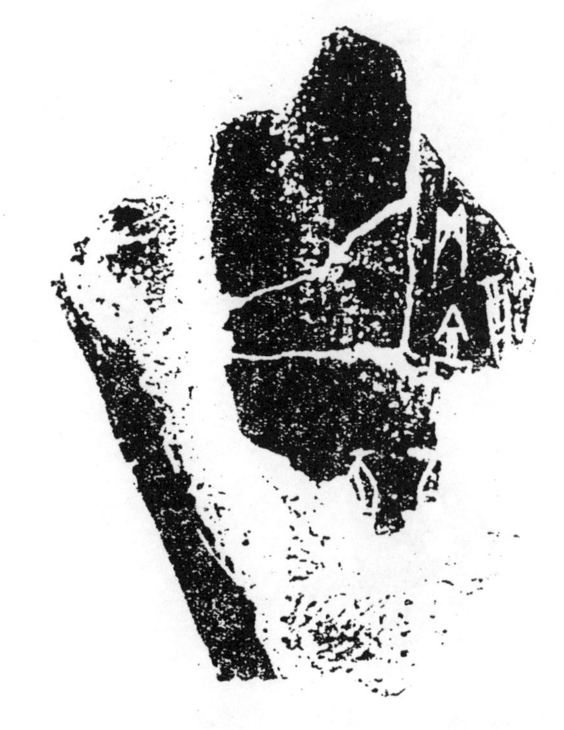

342

伍、陳邦懷氏藏栔

三四四至三七三

345

344

346

350

347

348

反 351 正

349

353

352

358

354

359

355

356

360 361·363

重見 103

刪

357

367

362

368

364 重見 148
刪

369

365

371

366

反

正

370

373

372

陸、于省吾氏藏契

三七四至三八〇

374

376

375

377

正

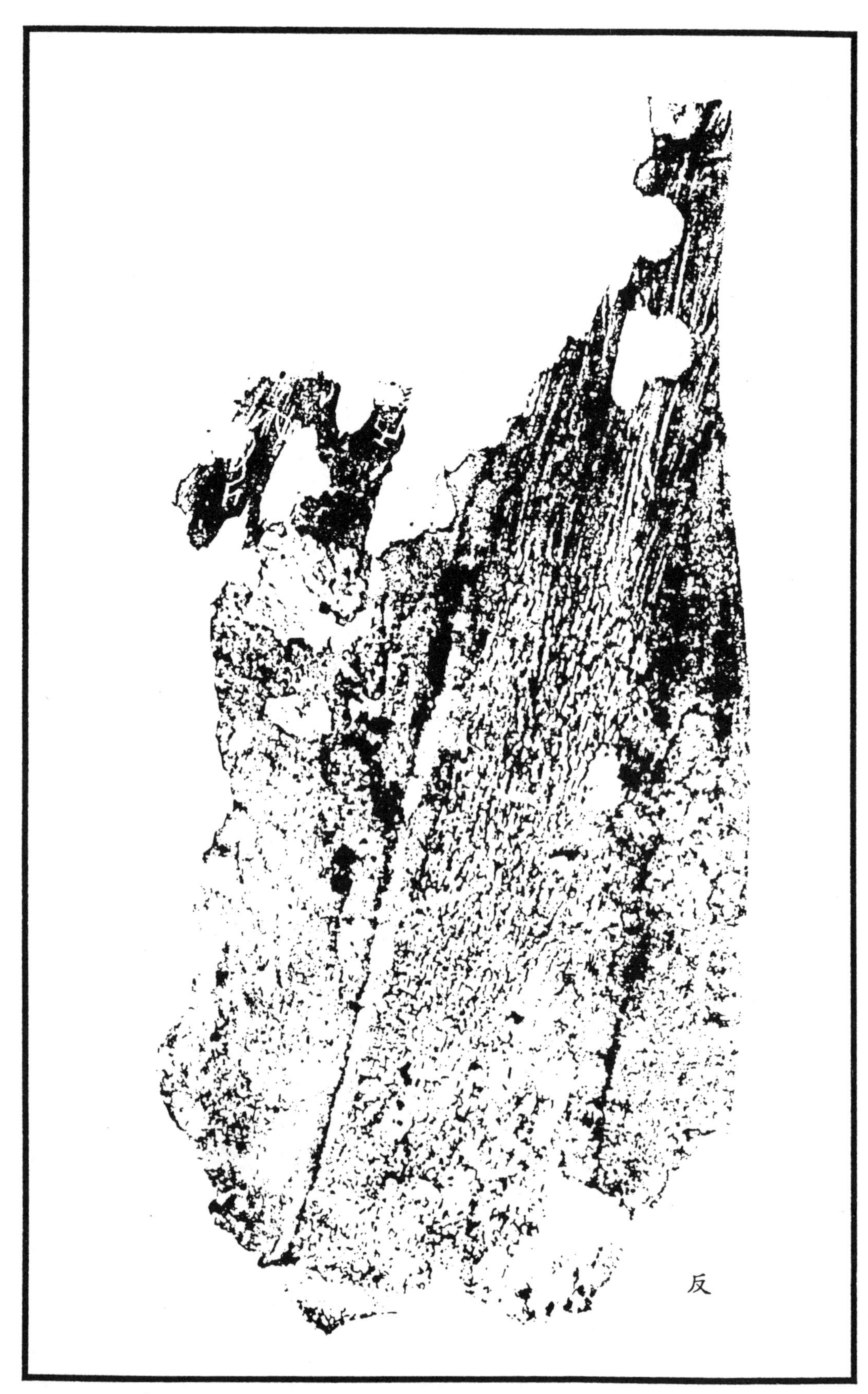

反

378

379

白　正

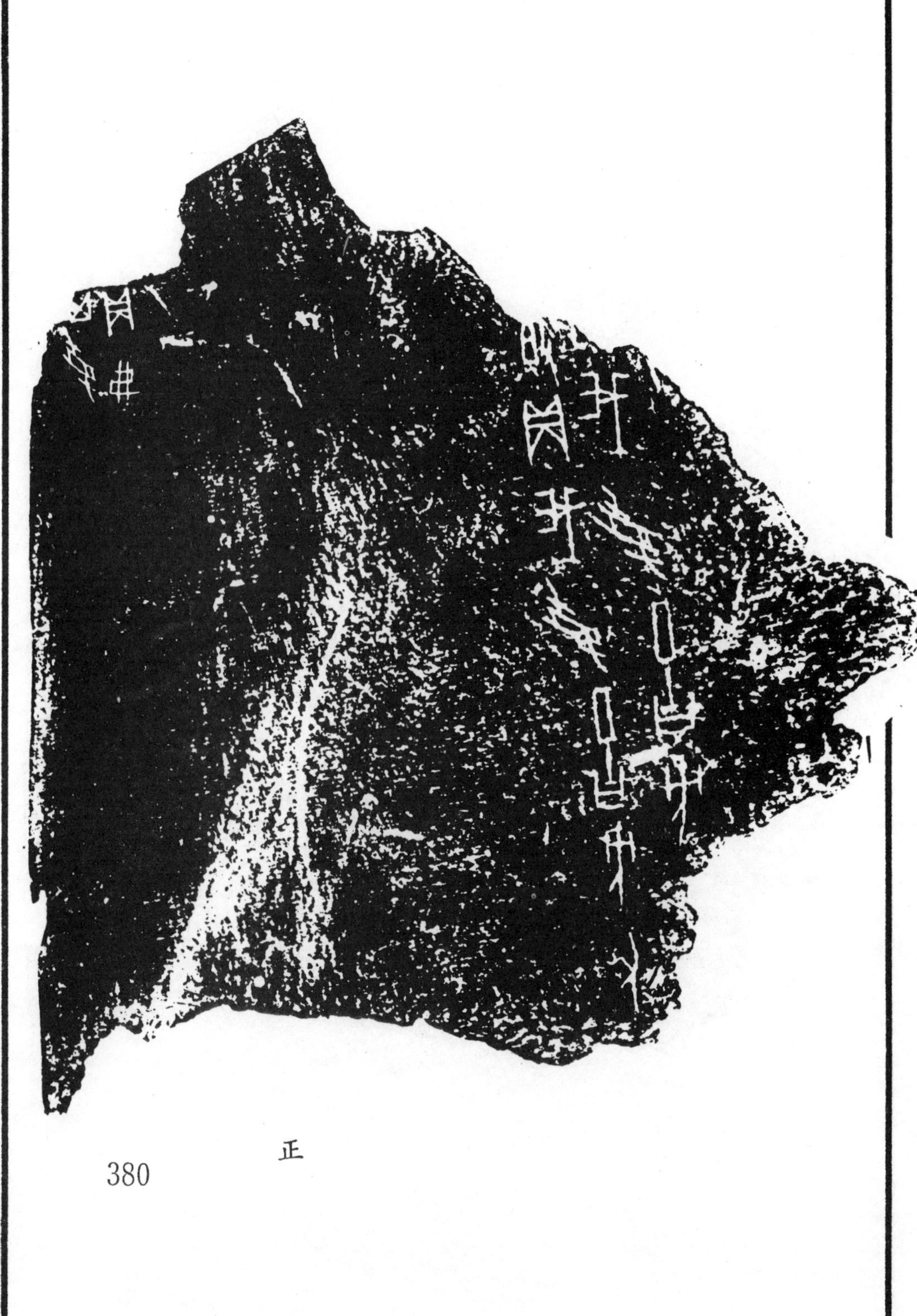

380　　　　正

反

381

僞刻　刪

柒、黃　濬氏藏拓

三八一至四四〇

382

383

正

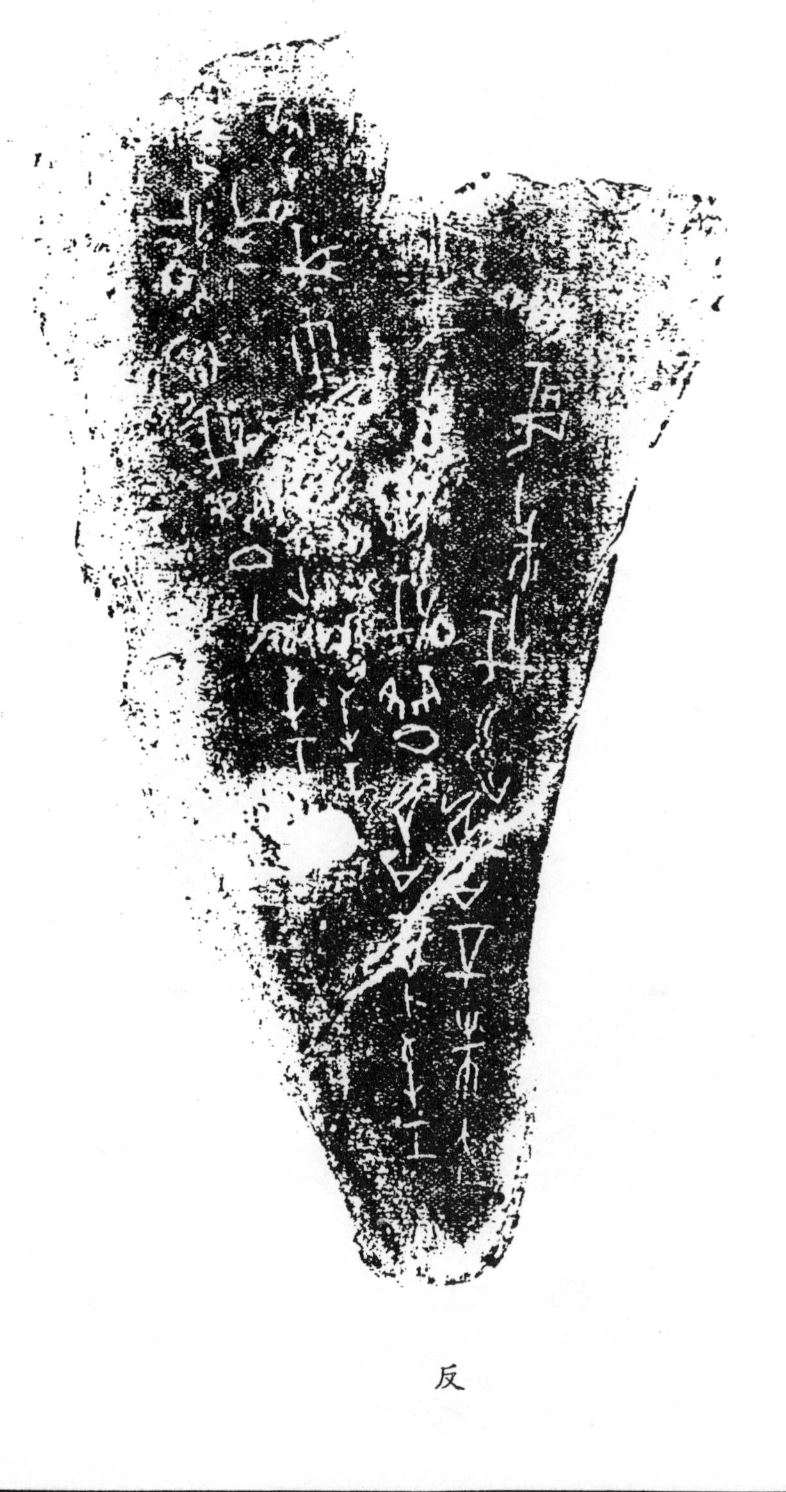

反

385

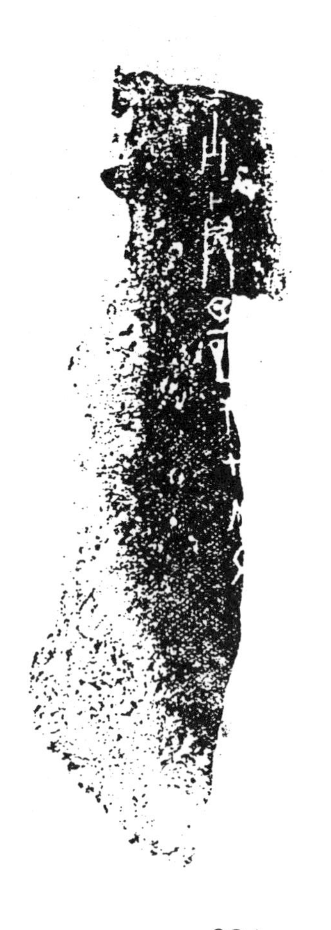

384

386

正

反

388

387

縮小

原大

上

389

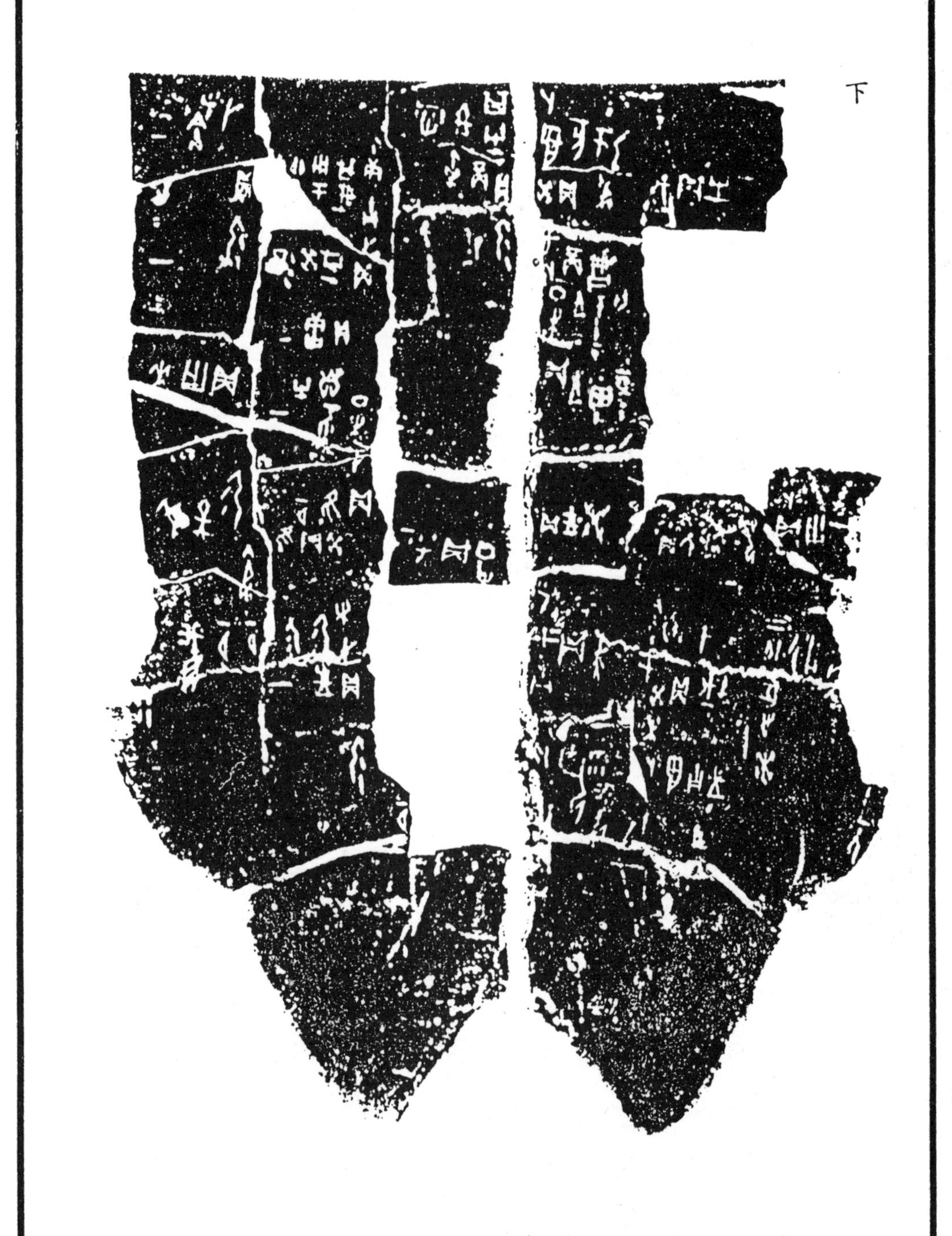

下

393

390

394

391

396

392

395

正

397

反

398

400

399

縮小

401

原大

上

401

下

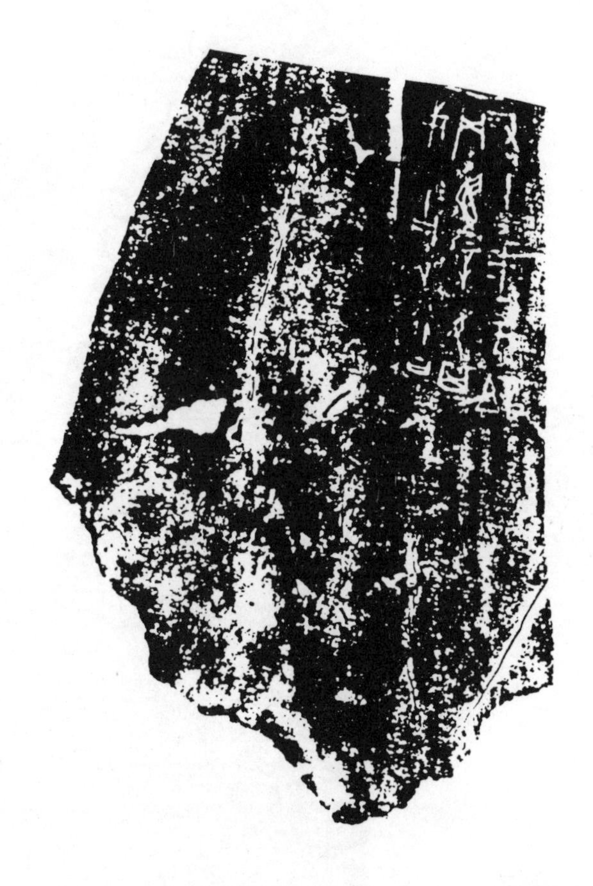

403

重見 391
刪

404

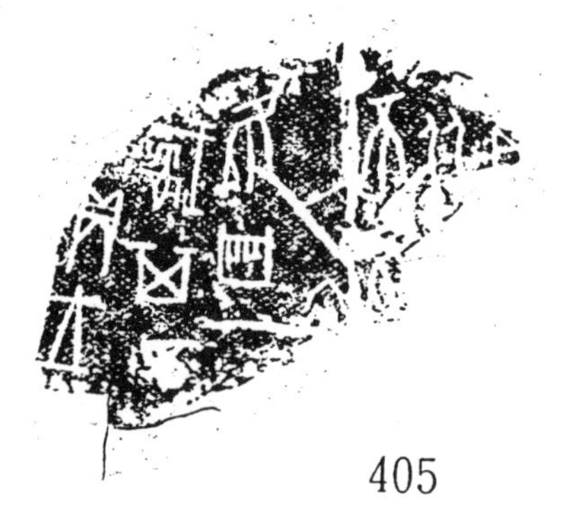

405

402

縮小

原大

上

406

下

408

409

410

407

413

412

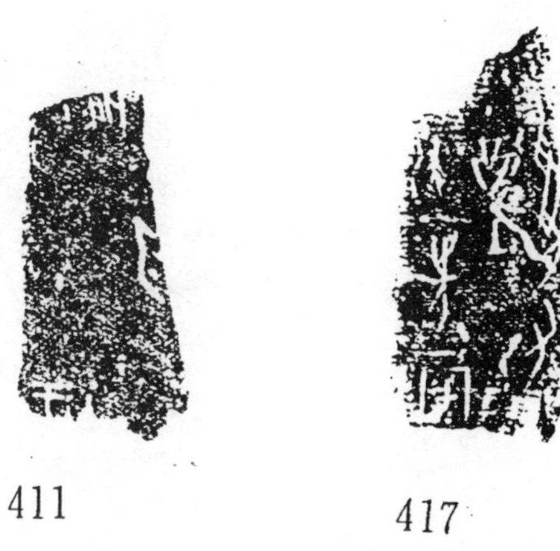

411

417

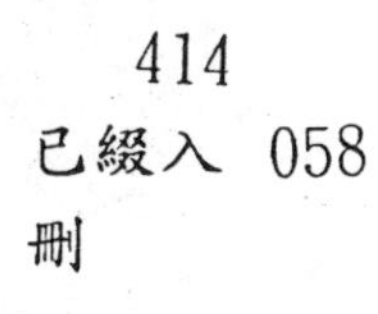

414
已綴入 058
冊

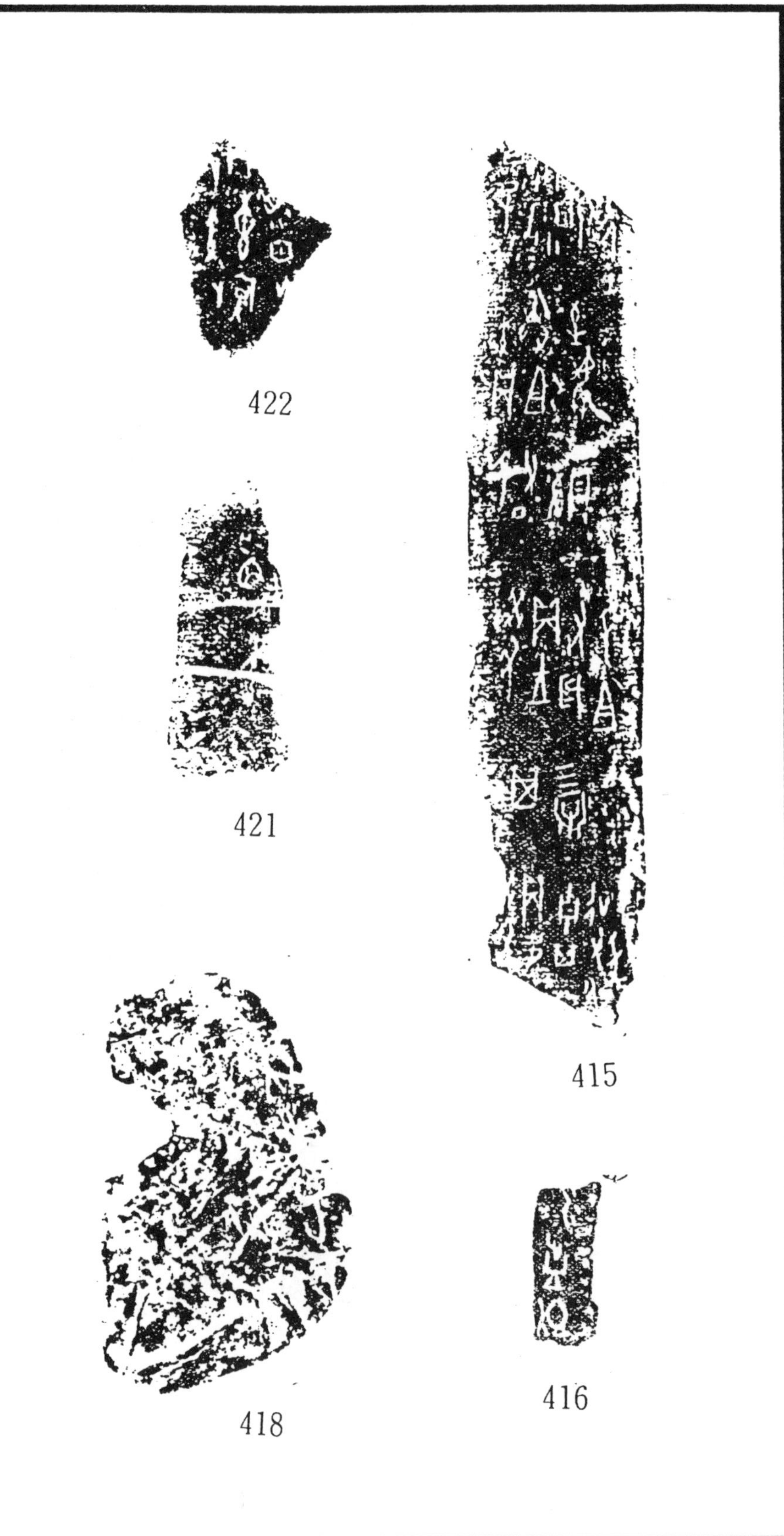

415 416 418 421 422

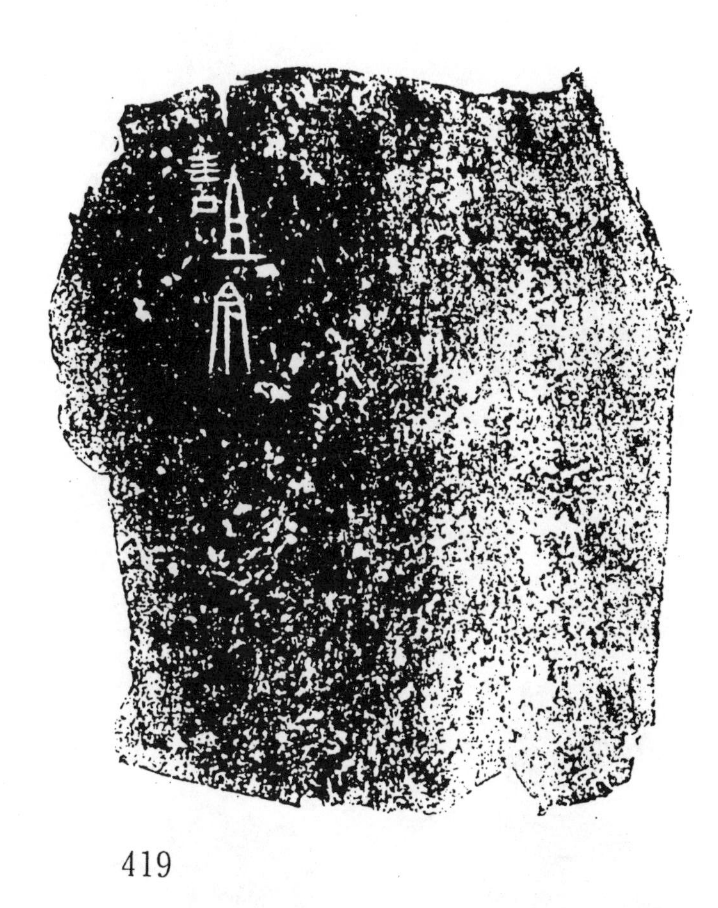

419

424

423

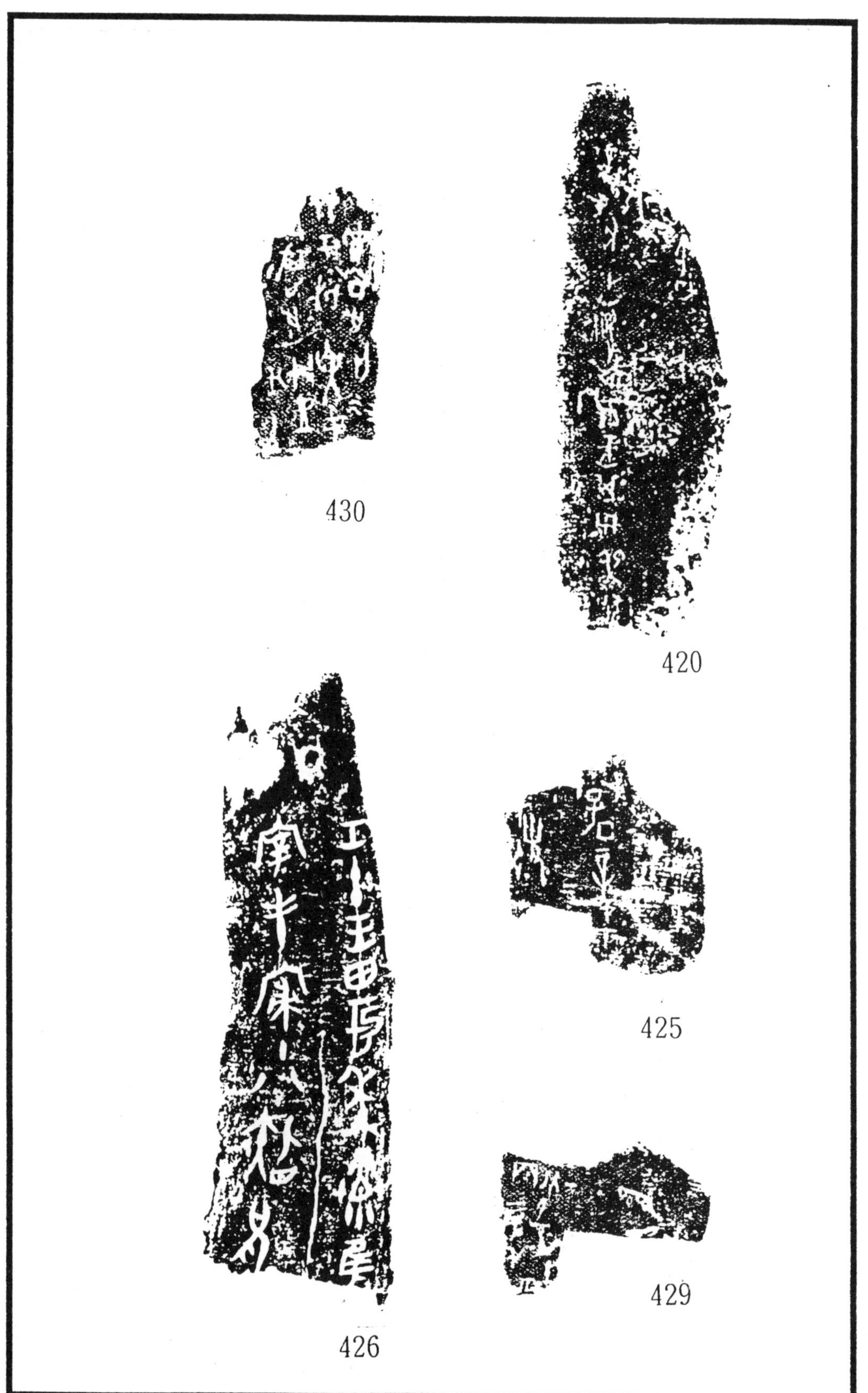
430
420
425
429
426

原物照片

原物照片

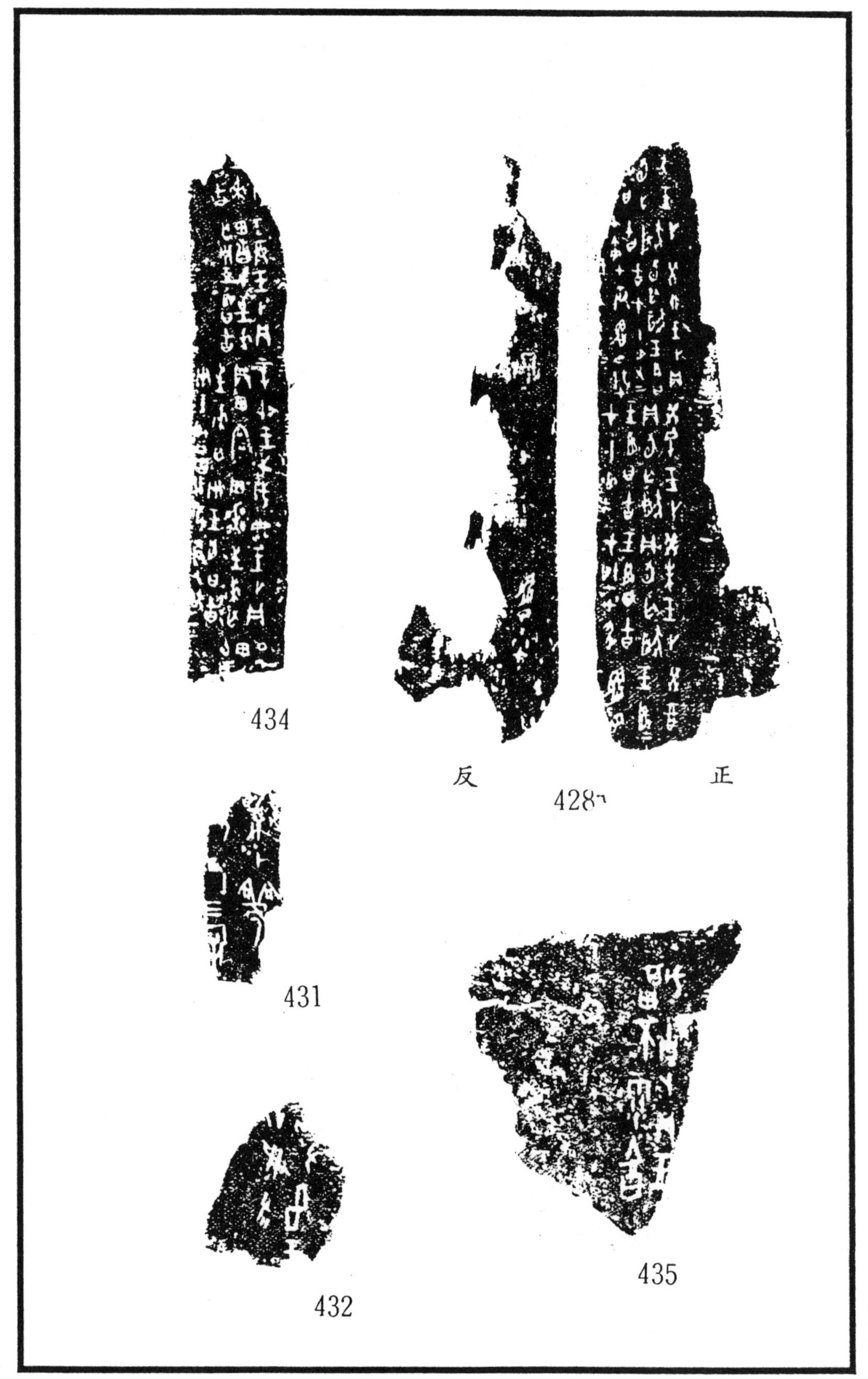

434

反 428 正

431

435

432

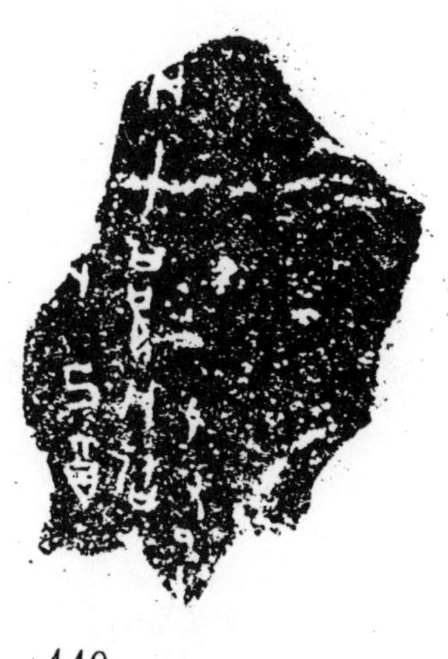
440

433

436

437

439

438

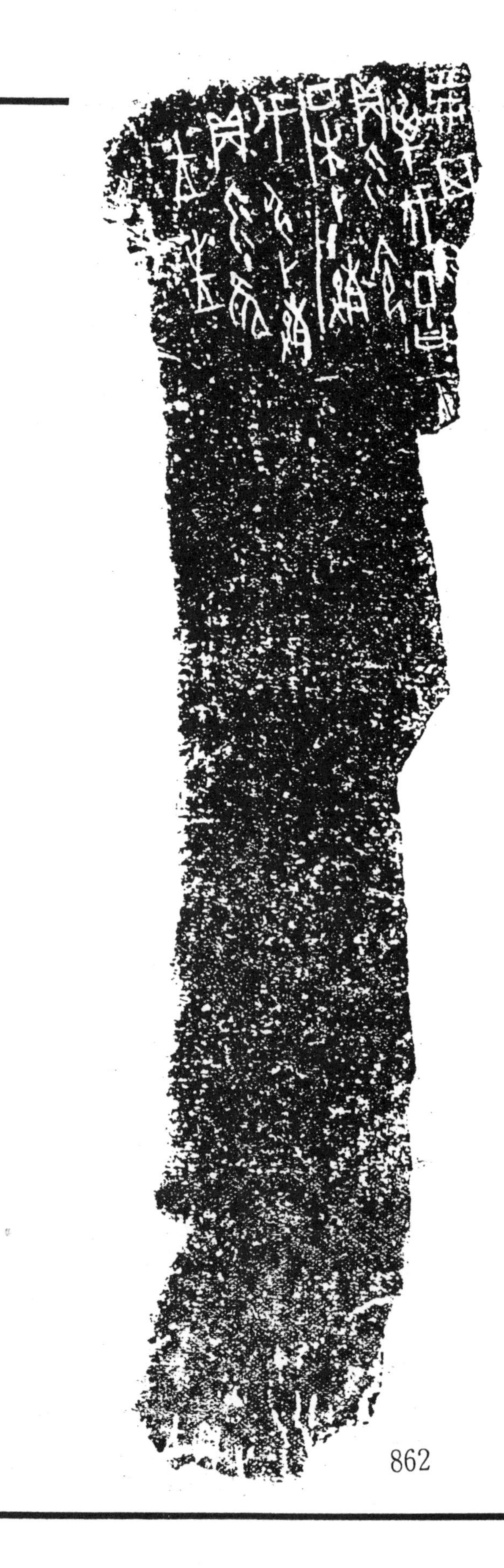

862

捌、馮汝玠氏藏拓

八六二至八六九及九一五

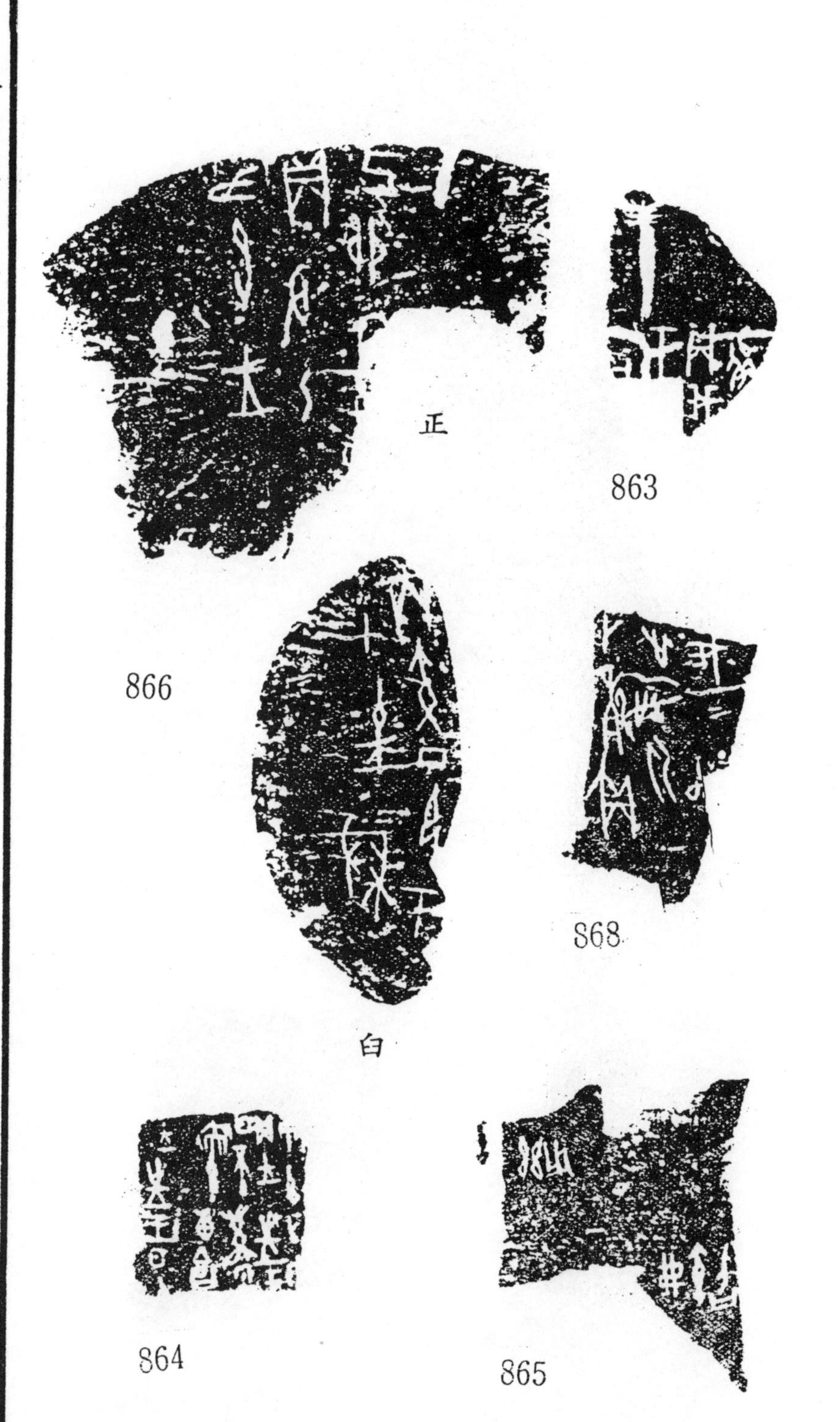
正
863
866
868
白
864
865

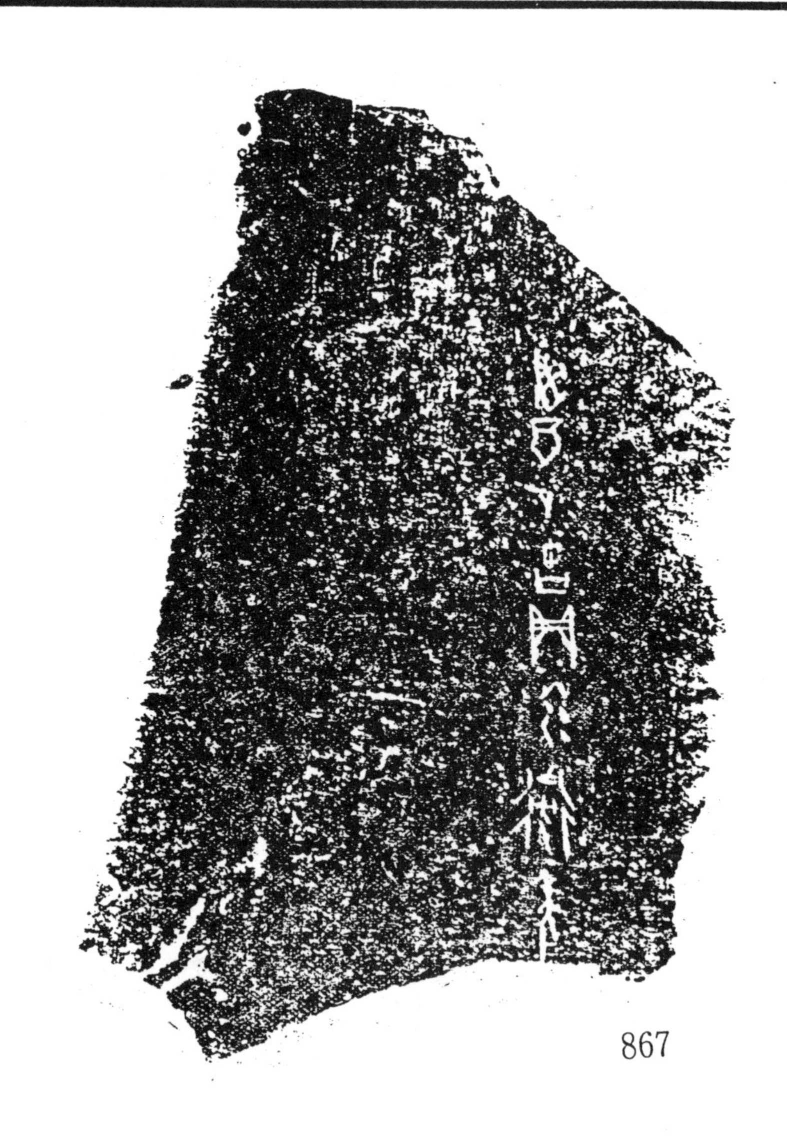
867

869

915

玖、柯昌泗氏藏拓

九八七至九九四

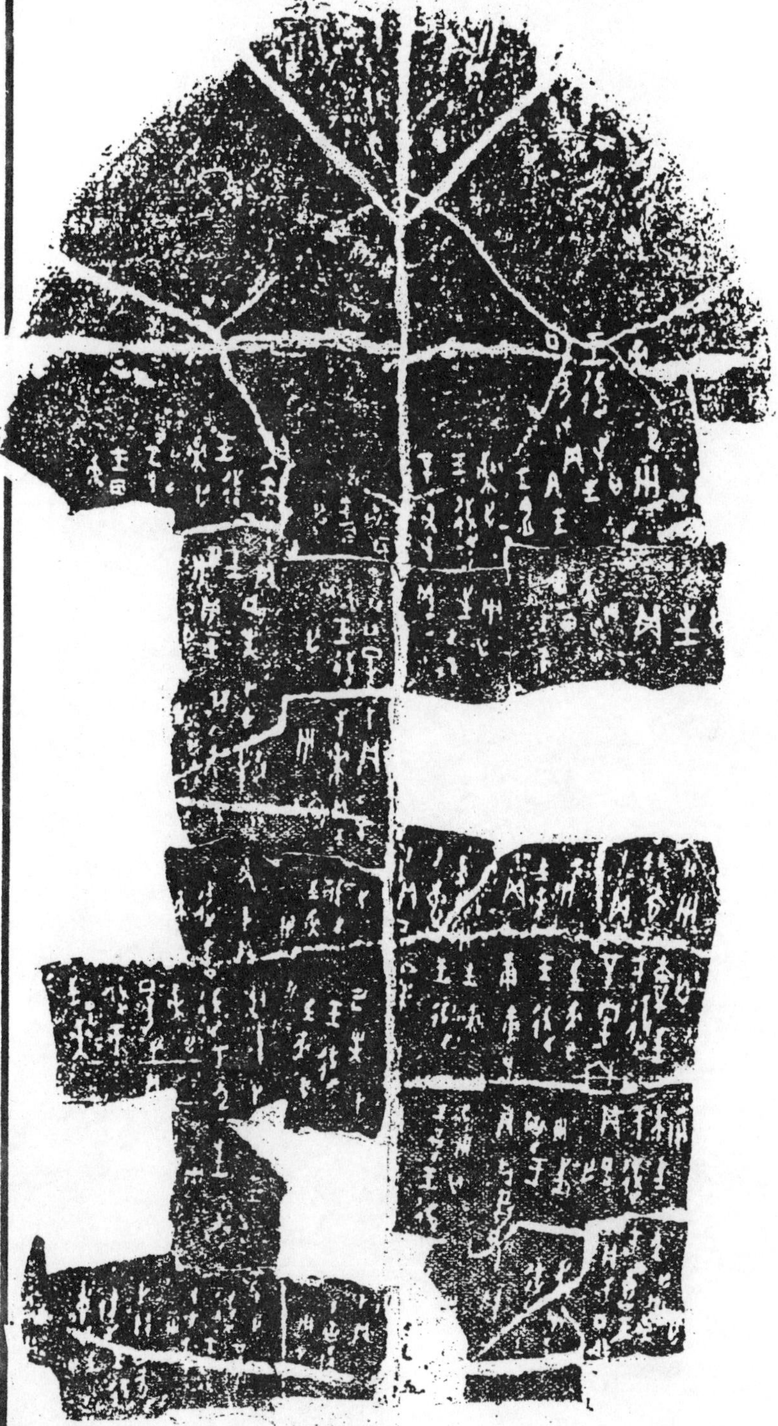

987

988

989

987.1

987.2

990

987.3

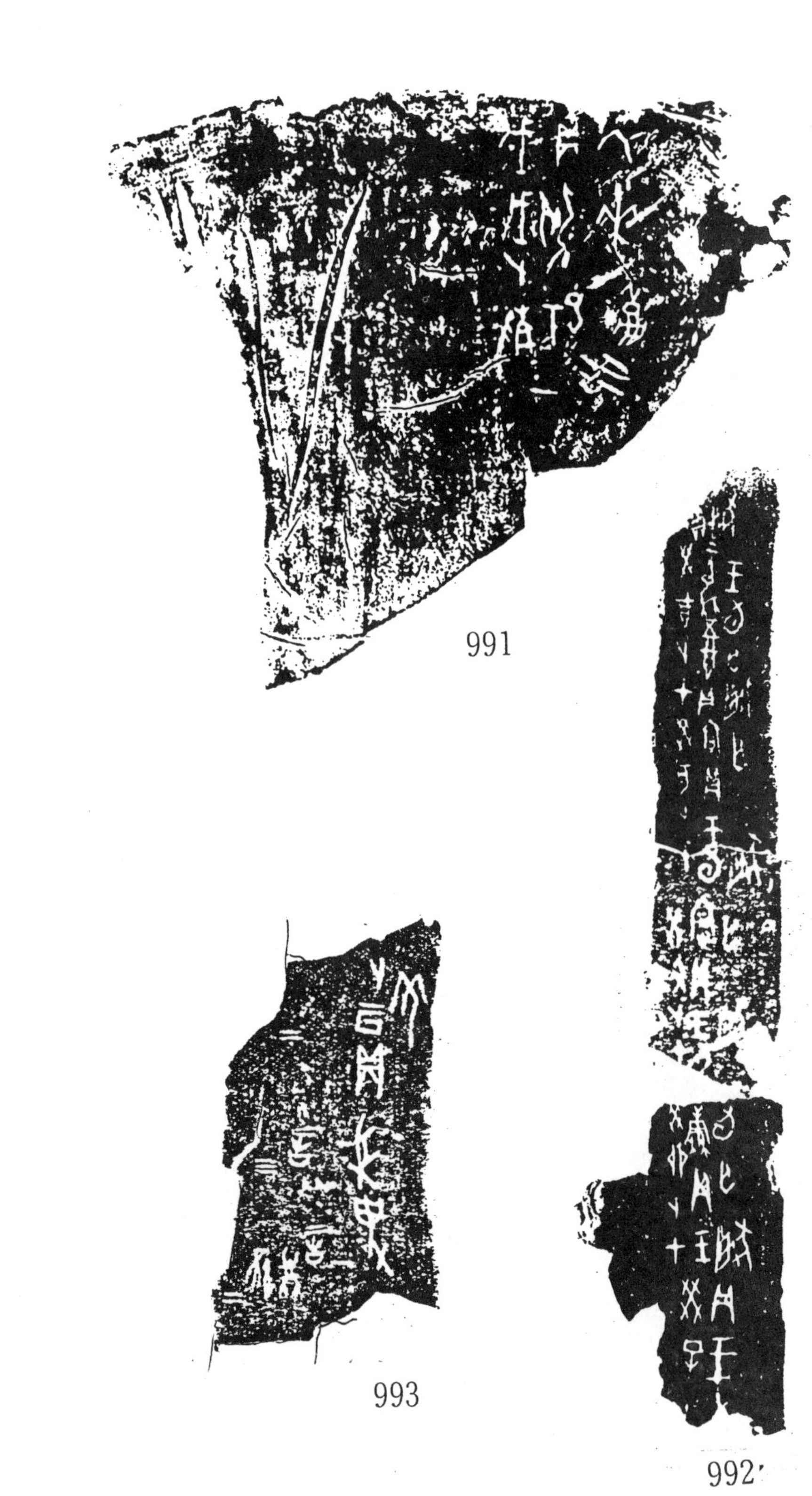

991

993

992

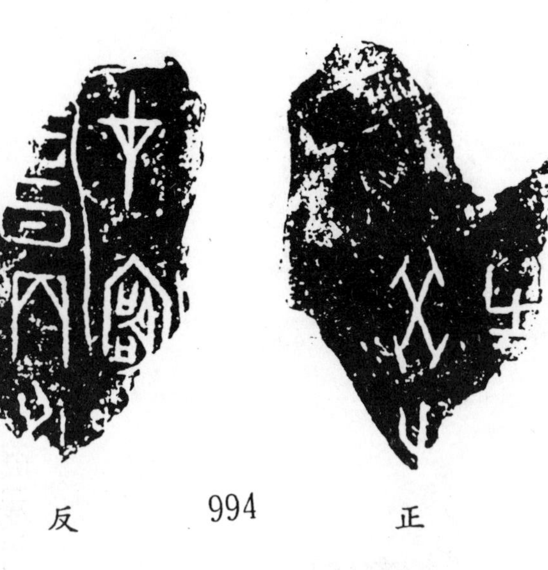

反　994　正

拾・一、商承祚氏藏契

四四一至五一七

441

442

445

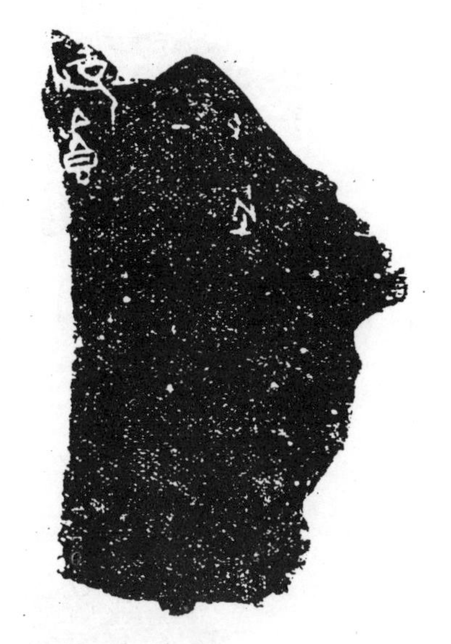
443

446

447

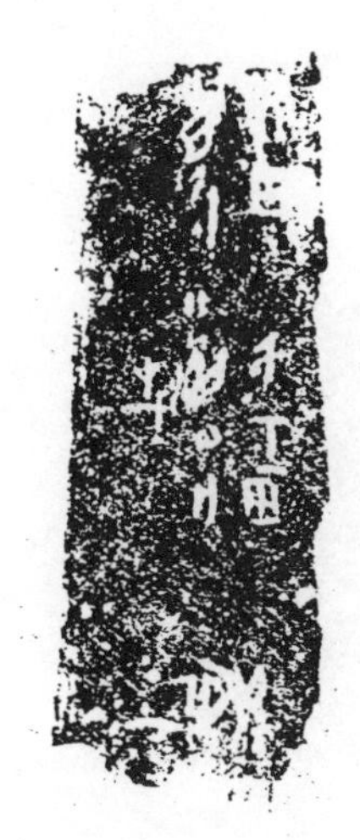
444

451

448

452

449

453

450

457

454

455

458

456

461

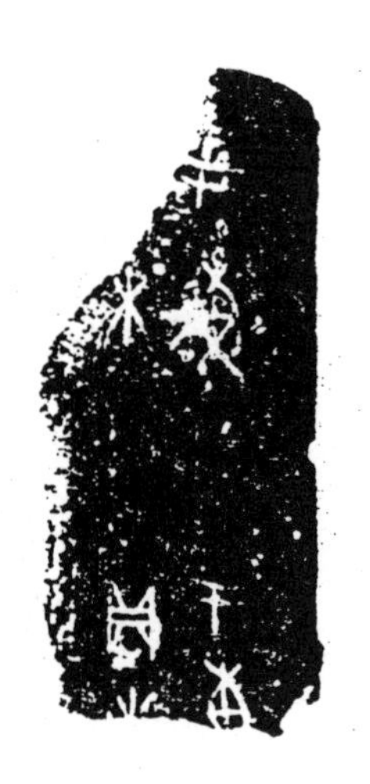

459

反 462 正

460

464

463

466

465

468

467

471

469

474

470

472

反　　正

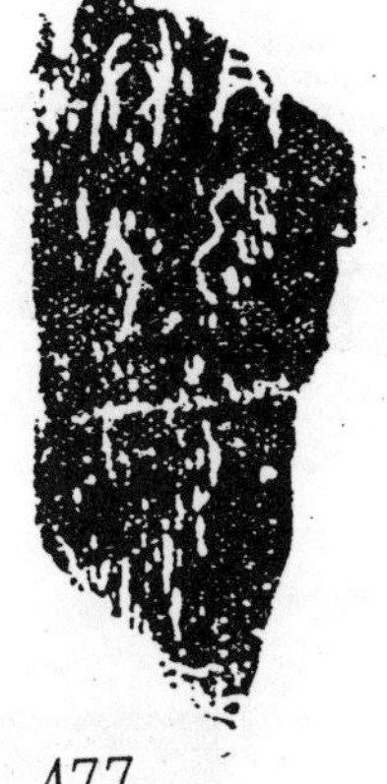
477

475

473

478

480

476

481

479

反　487　正

反　488　正

489

反　正

482　485

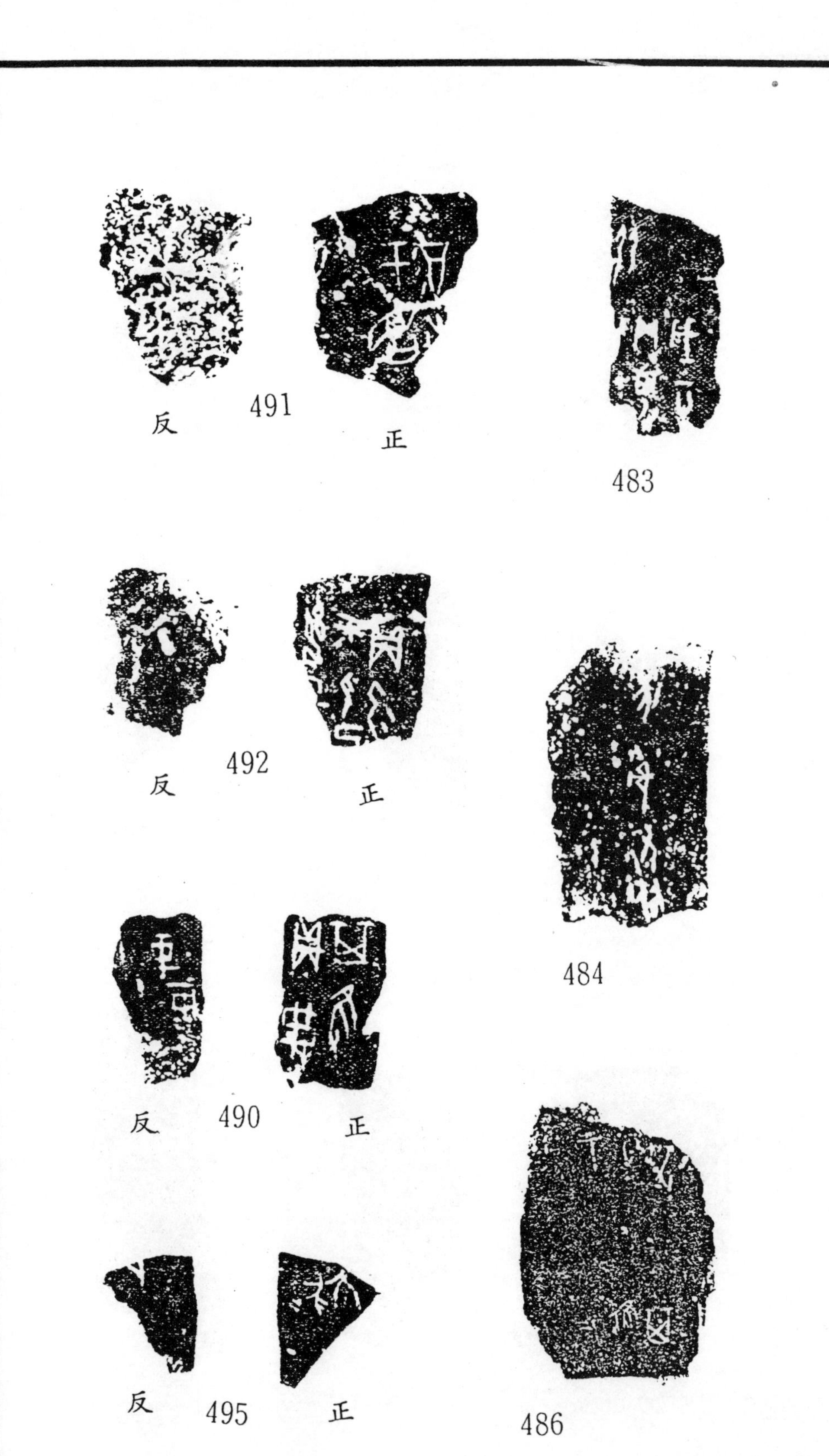
491
反
正
483
492
反
正
484
490
反
正
495
反
正
486

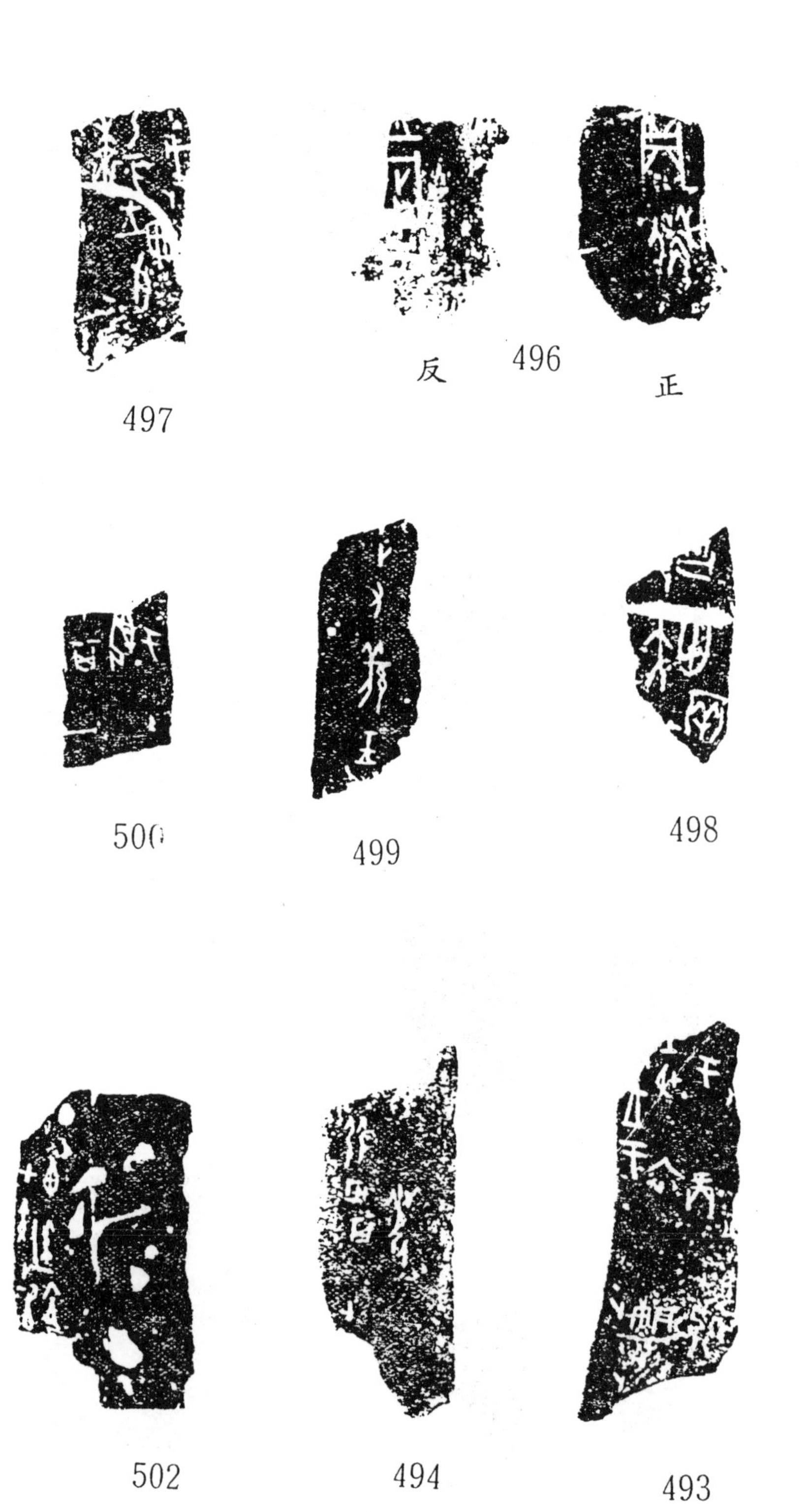
反
496
正
497
500
499
498
502
494
493

505

501

507

503

508

504

509

506

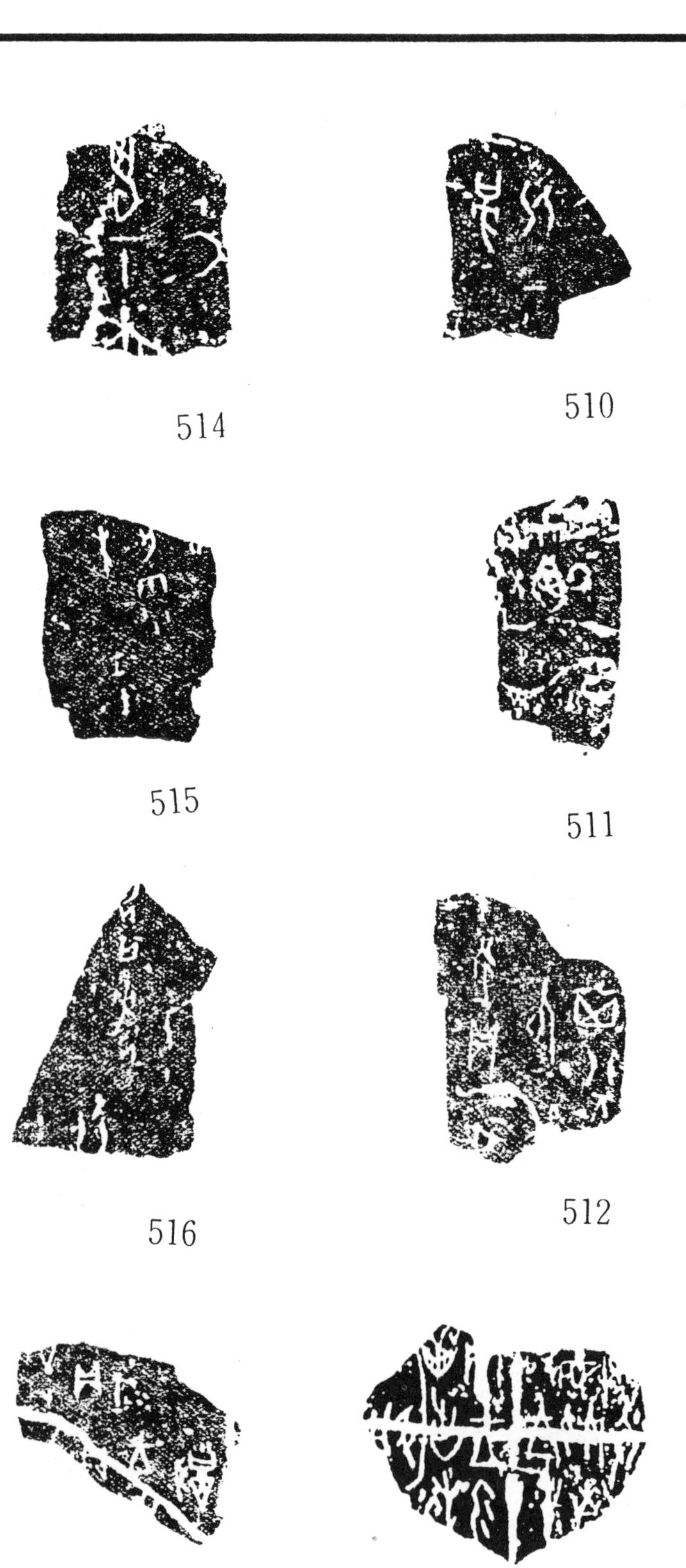

514

510

515

511

516

512

517

513

拾、二、商承祚氏藏拓

五一八至一〇〇〇

縮小

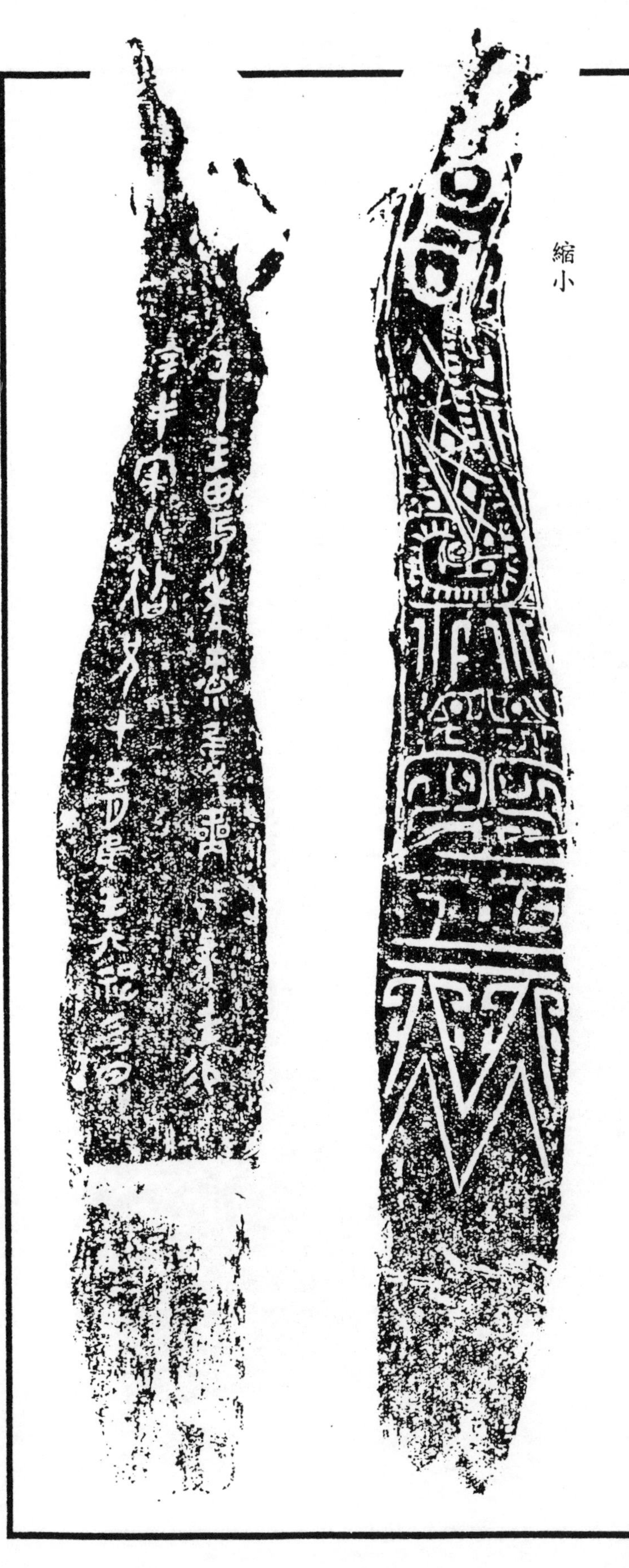

原大

下

上

518

原大

上

下

522

反 519 正

523

520

521

反

正

525

526

524

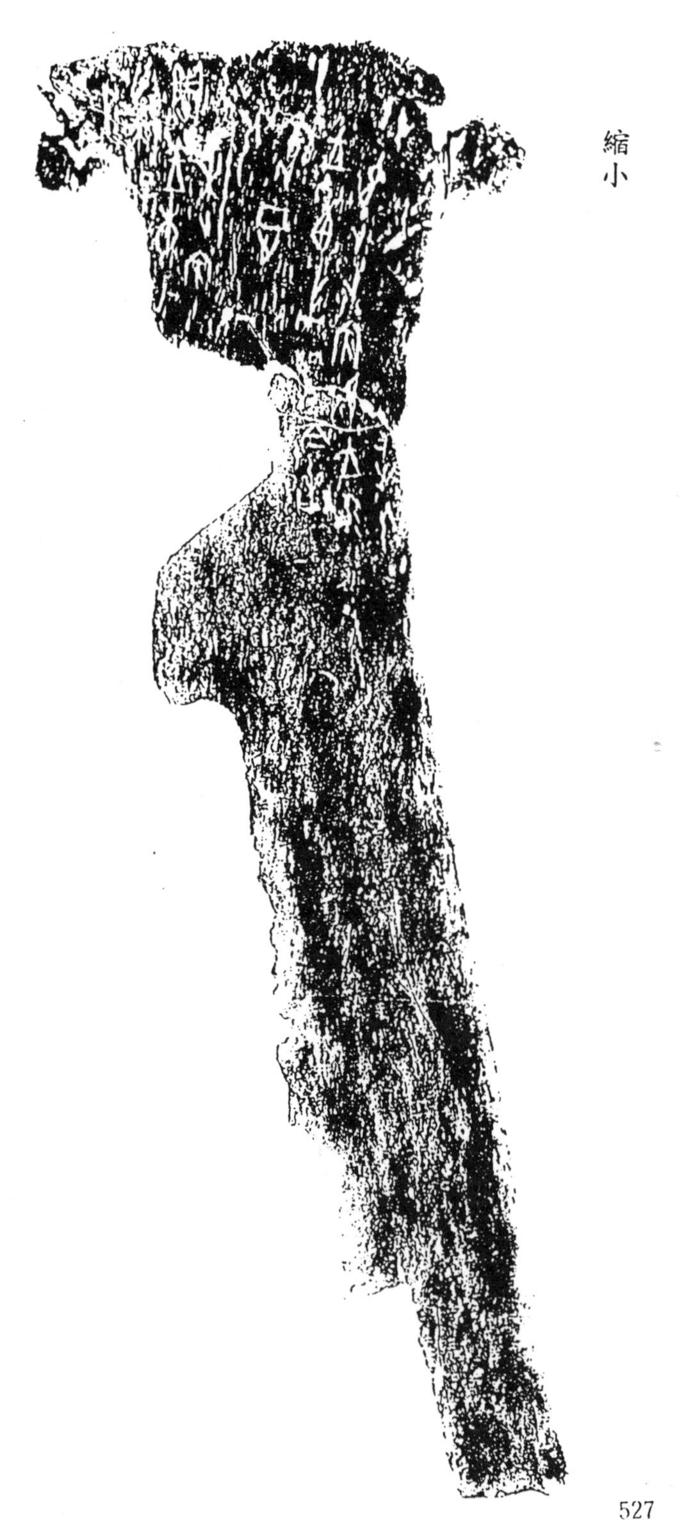

縮小

527

原大

上

下

527

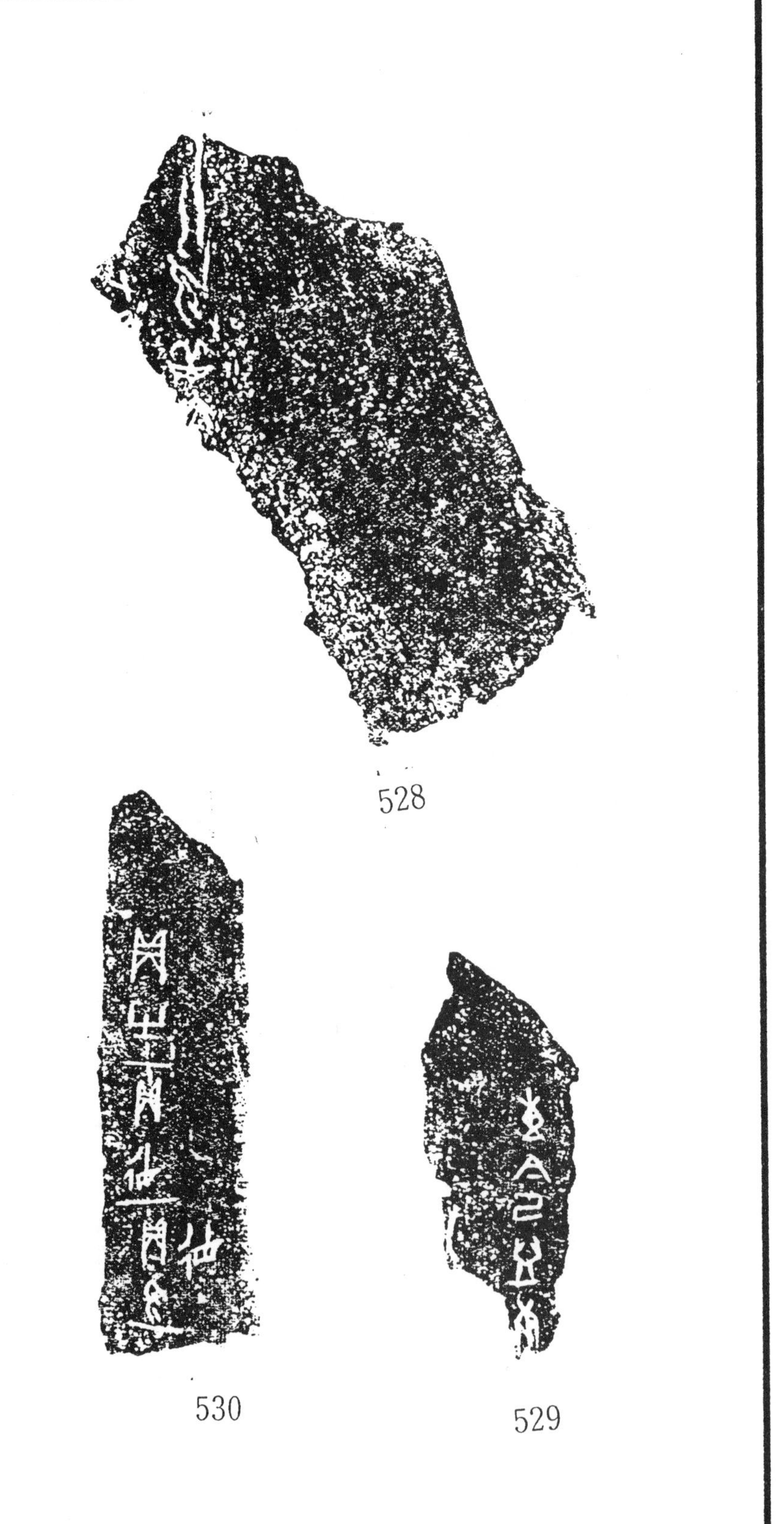

528

530

529

縮小

531

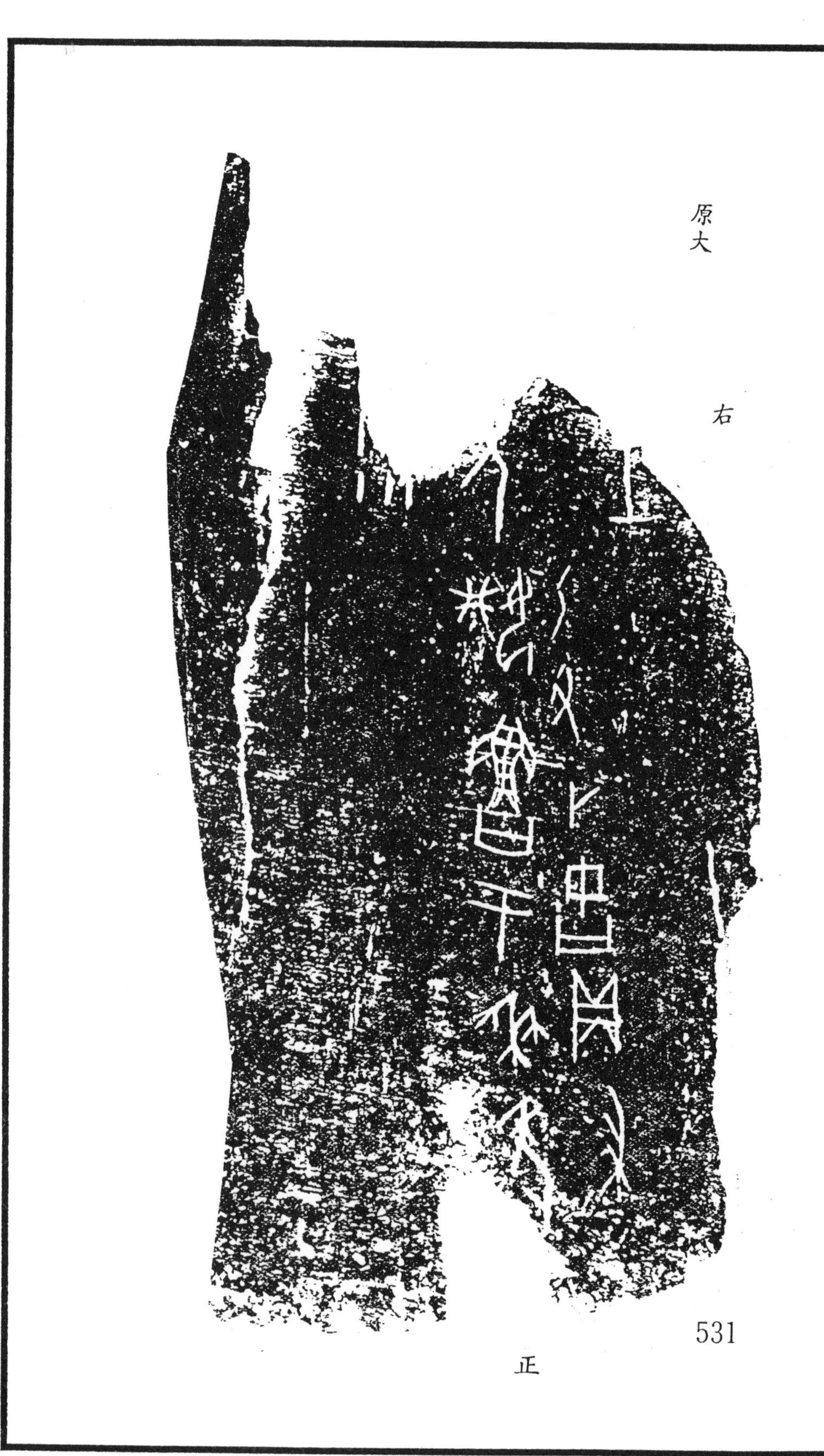
原大
右
531
正

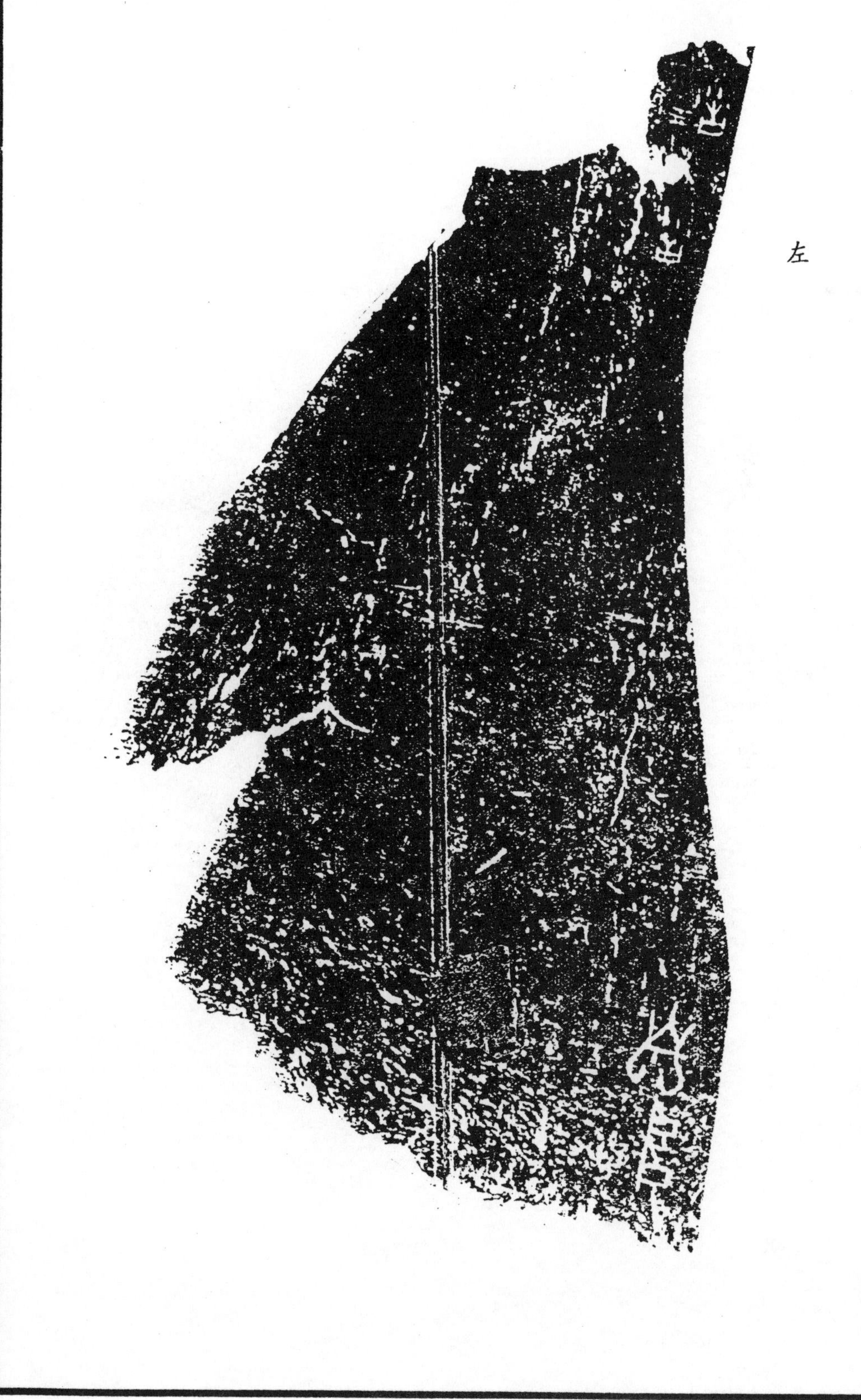
左

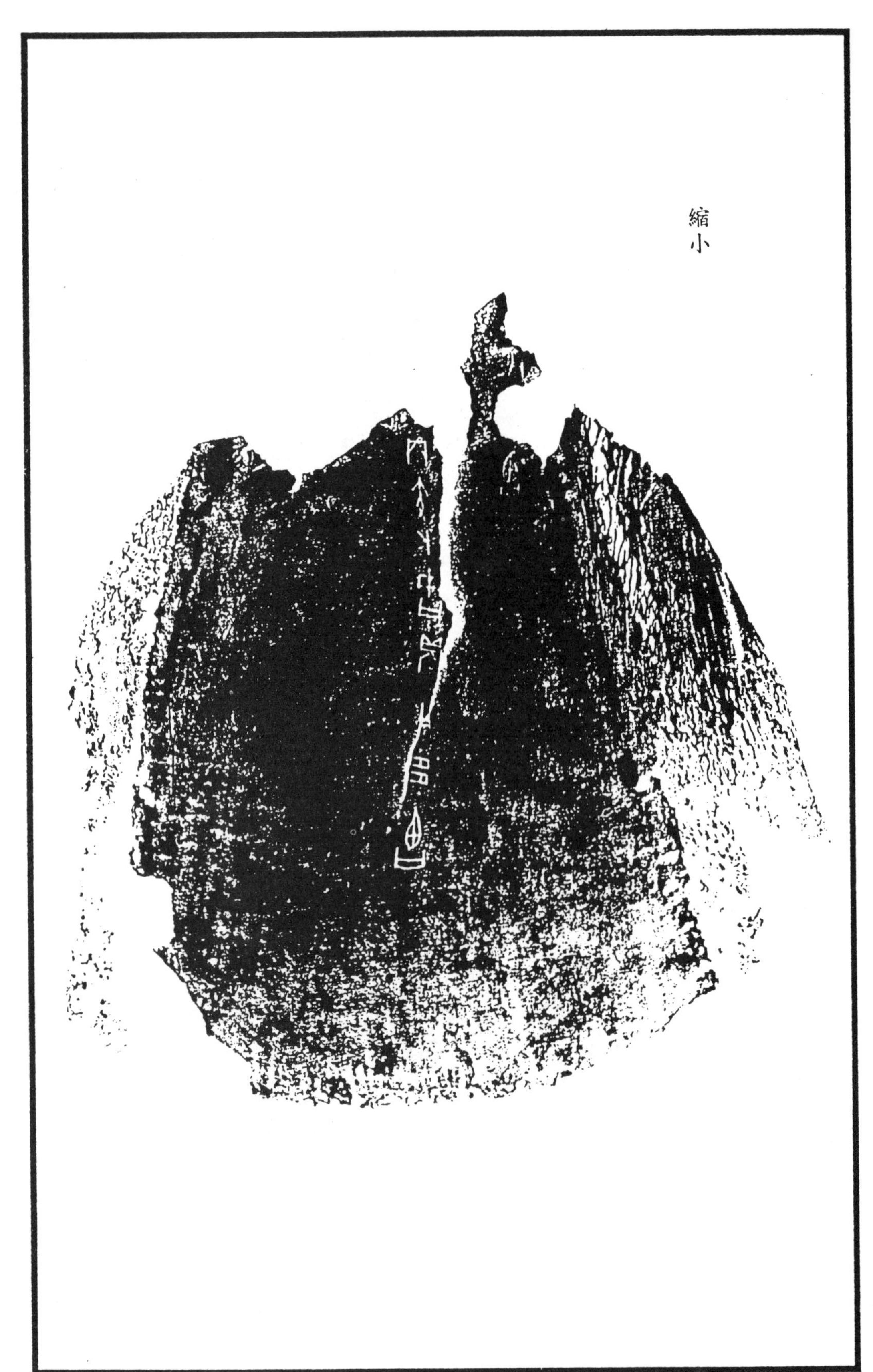

縮小

右
反

左

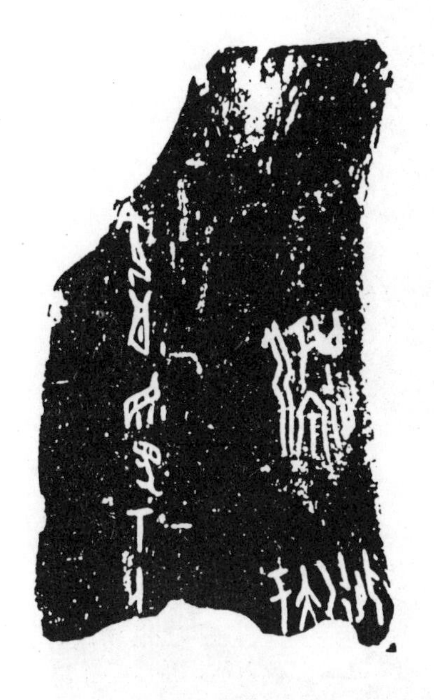

535

536

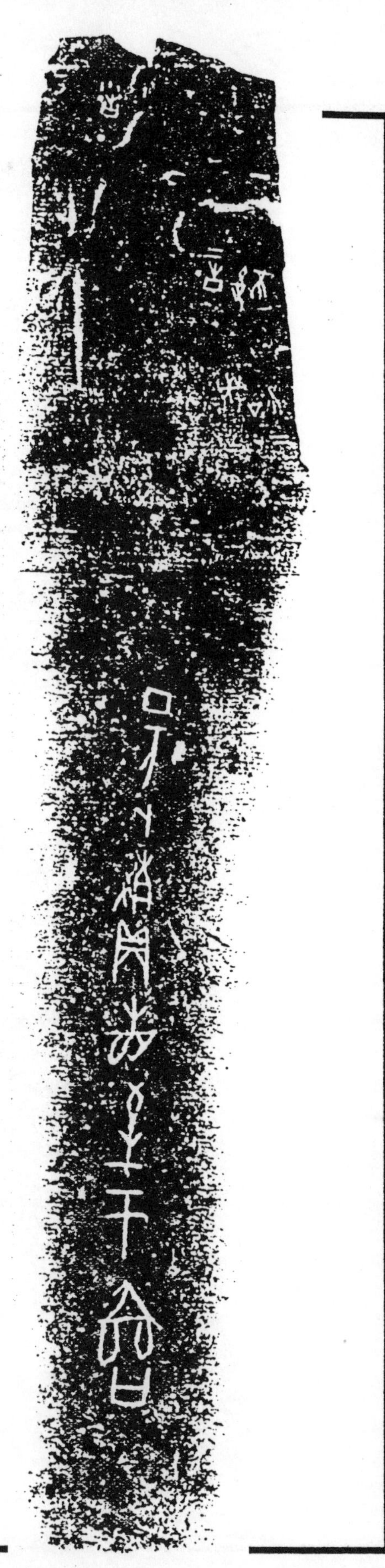

532

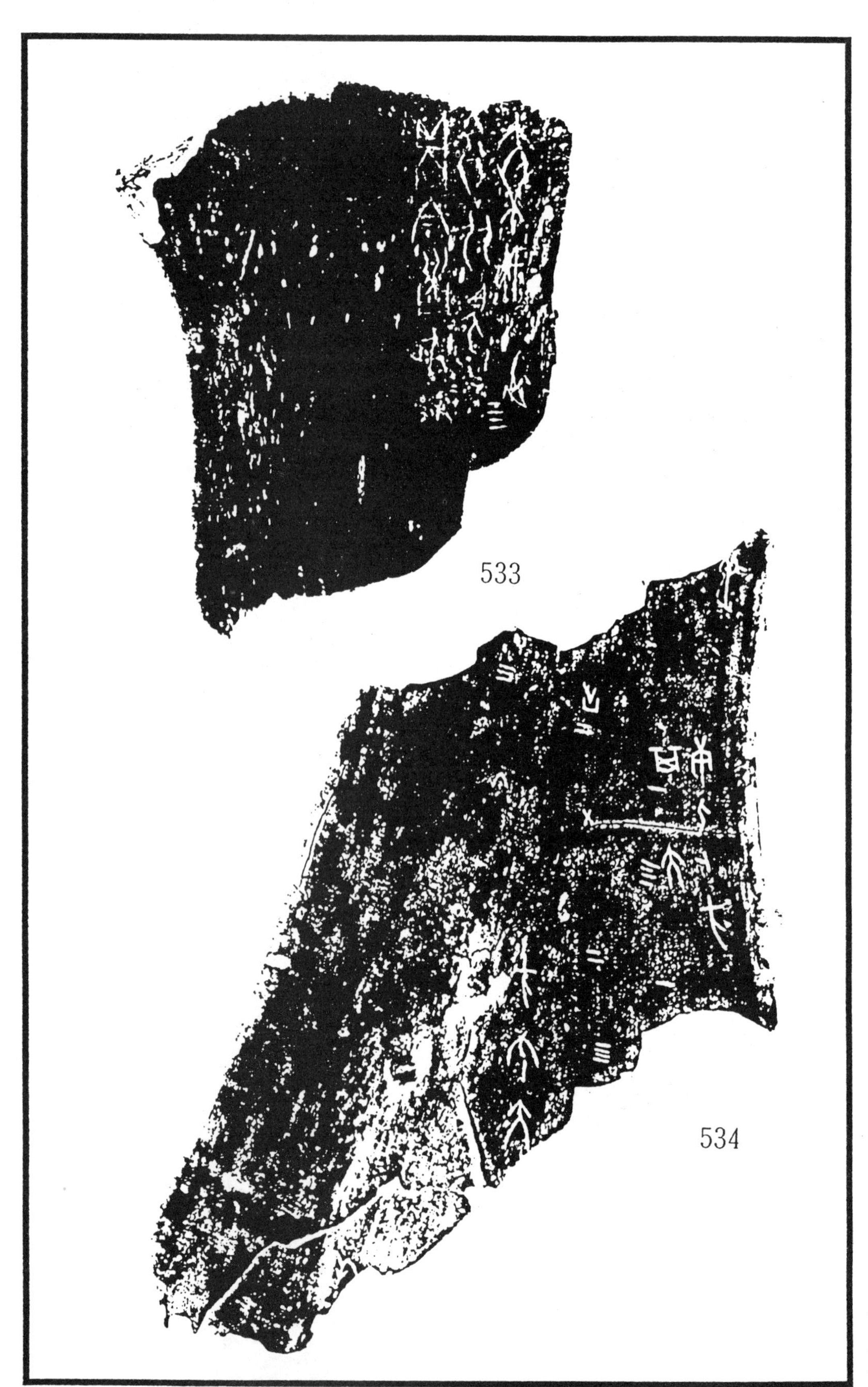

533

534

537 正

反

540 539 538

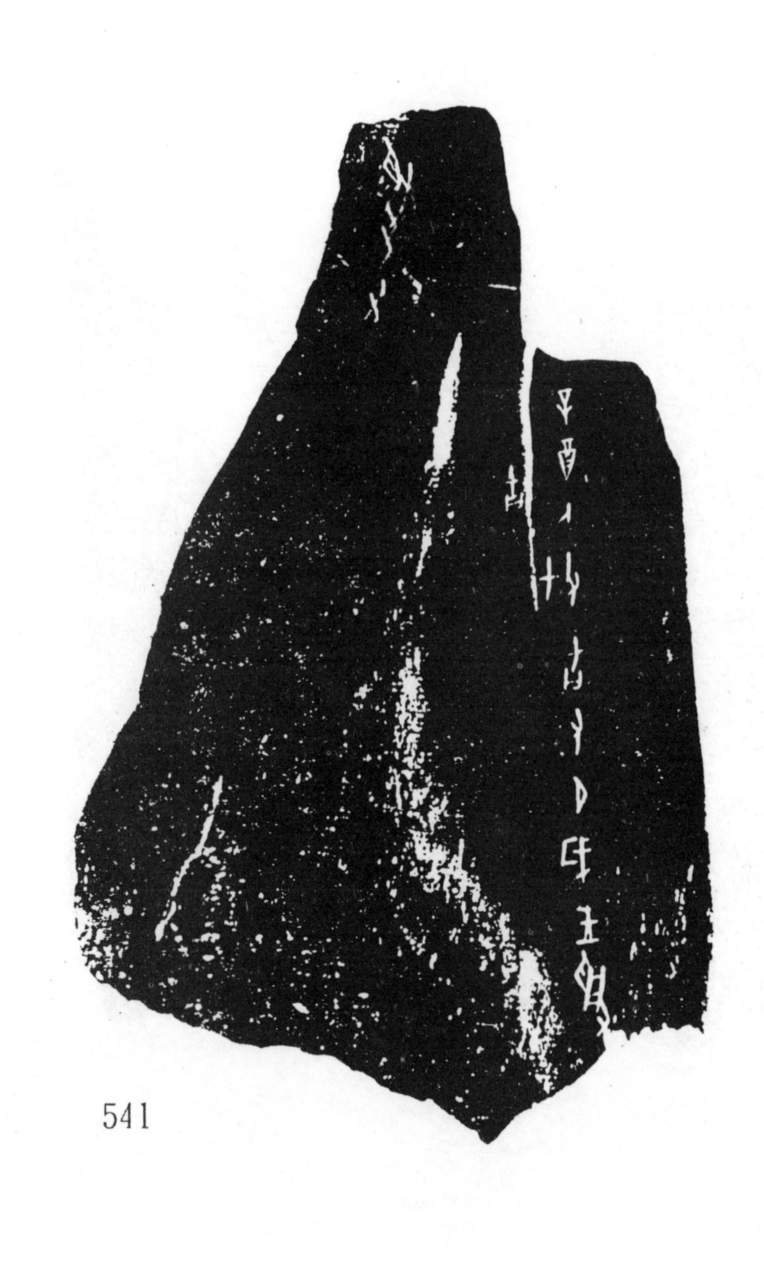

541

544

542

545

543

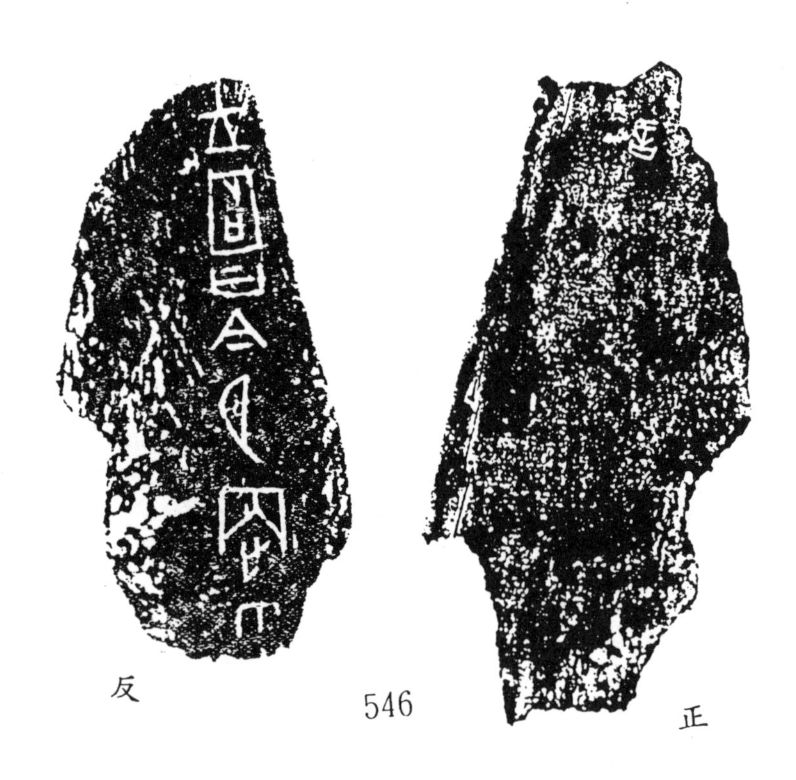

反　546　正

反　551　正

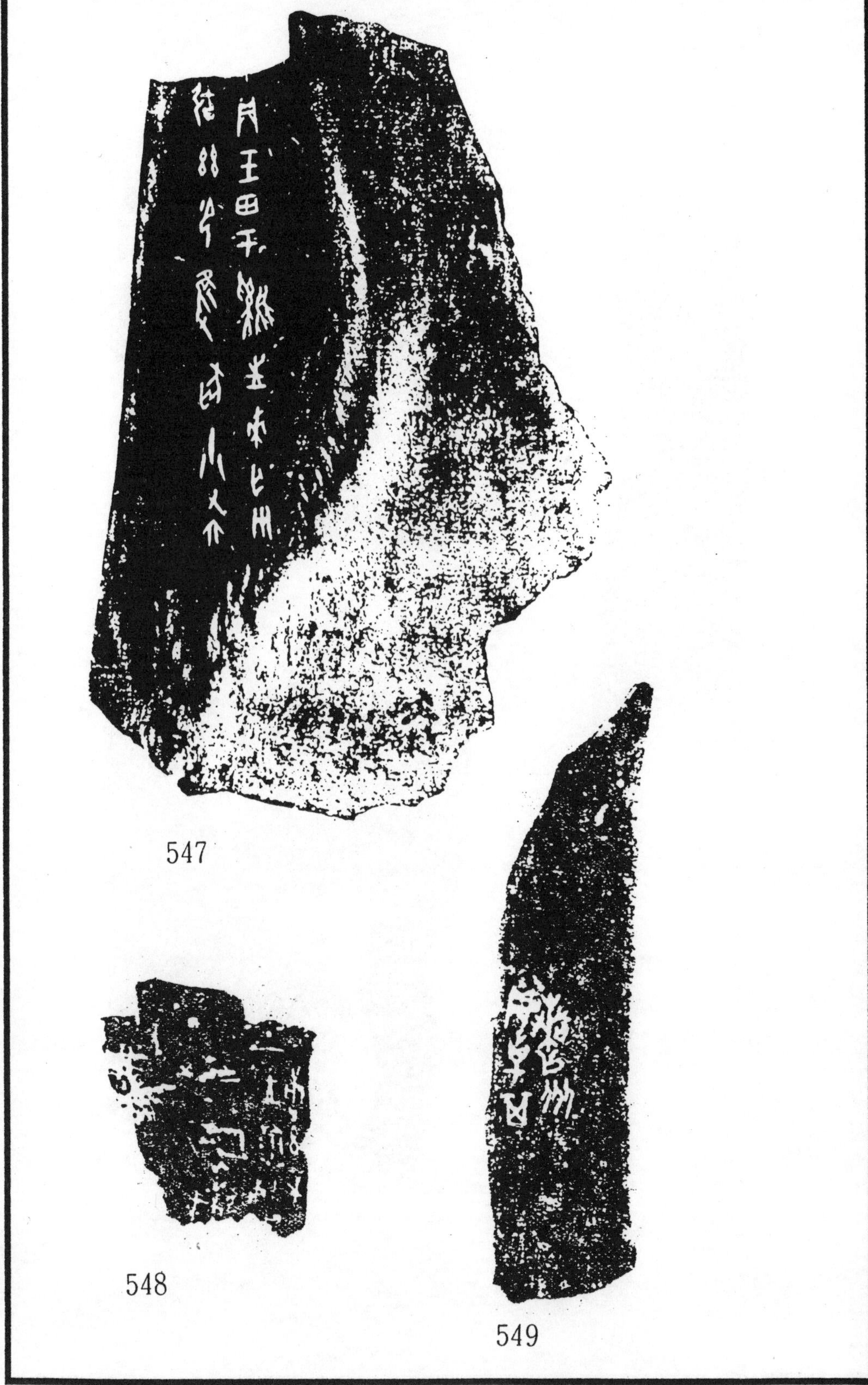

547

548

549

552

554
重見 138
刪

正

反

550

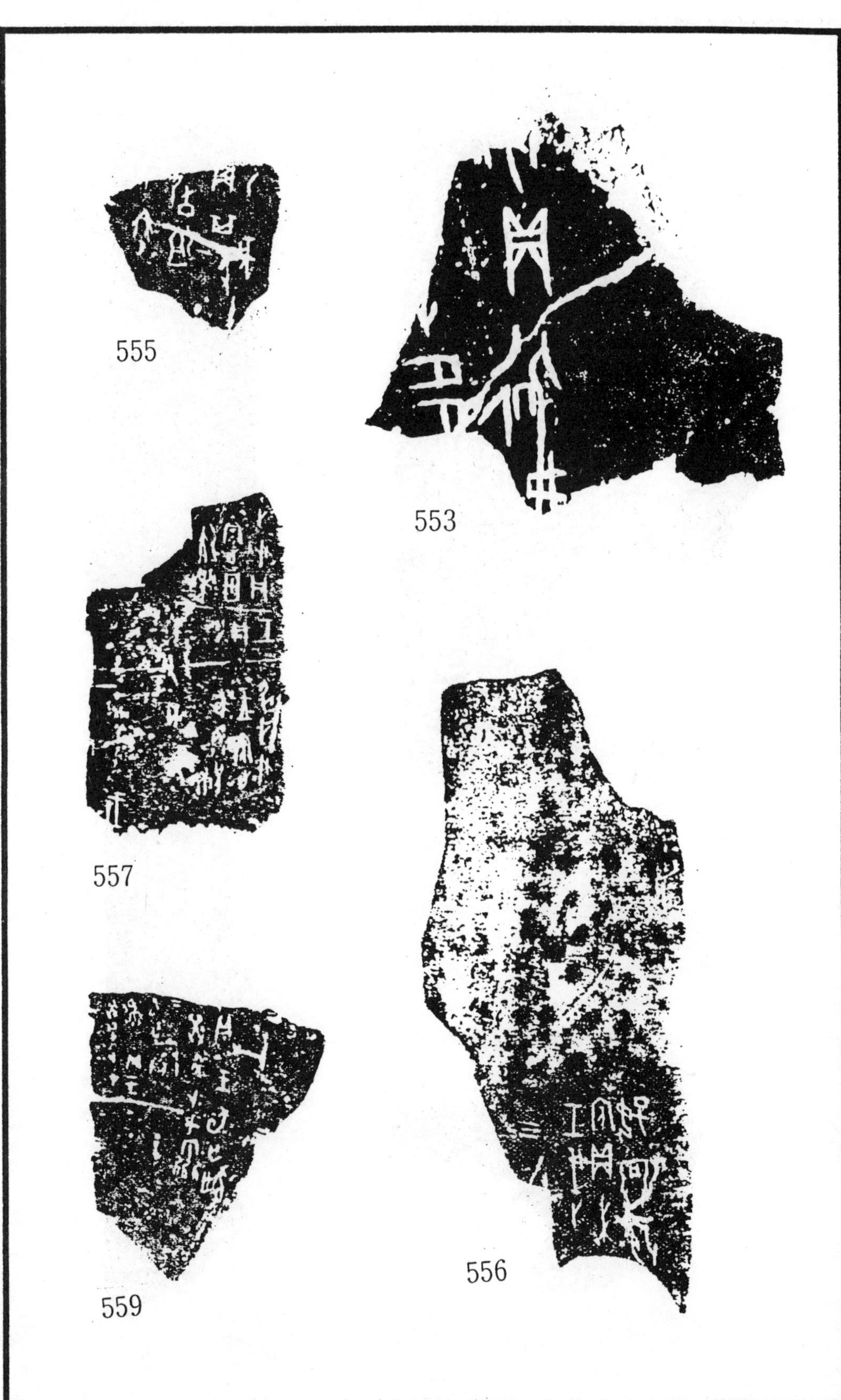

555

553

557

556

559

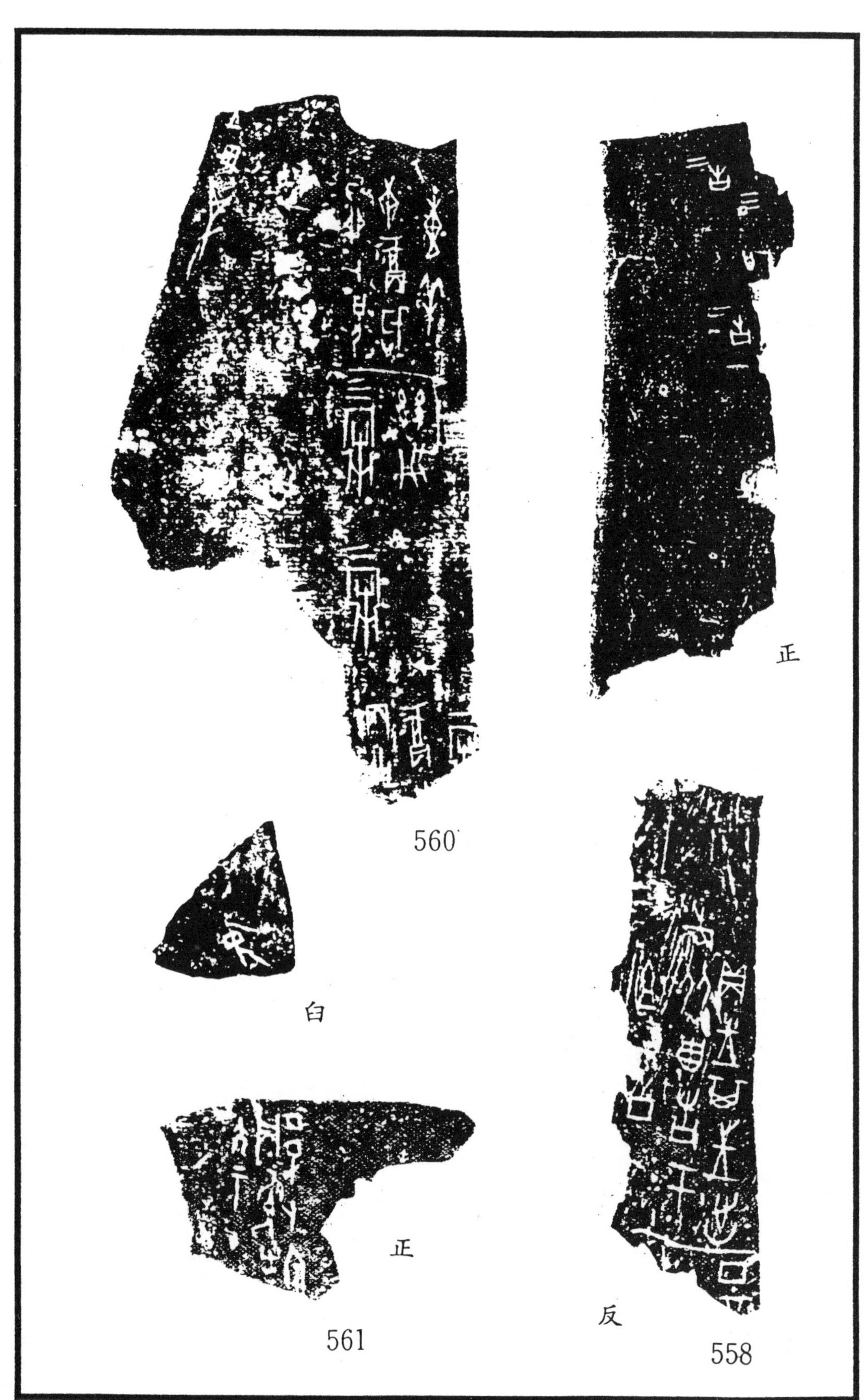

正

560

白

正

561

反

558

正

562

565

563

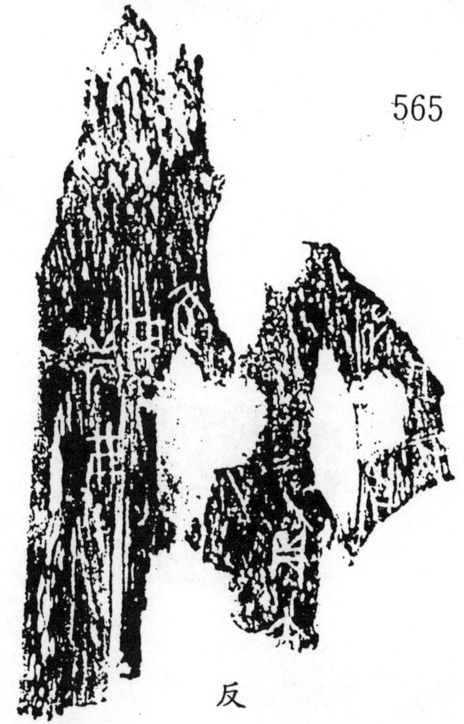

反

564
重見 173
删

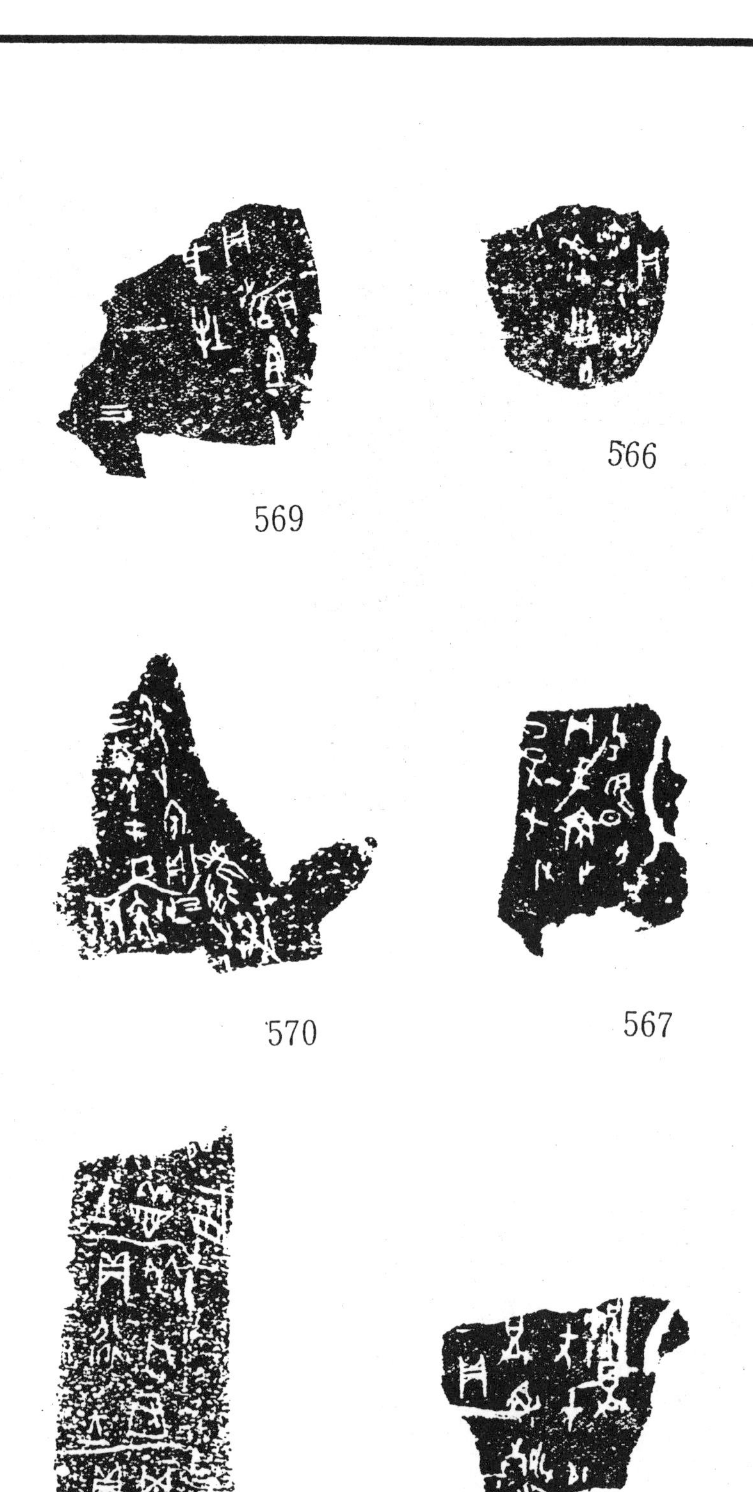

569 566

570 567

571 568

572

574

575

573

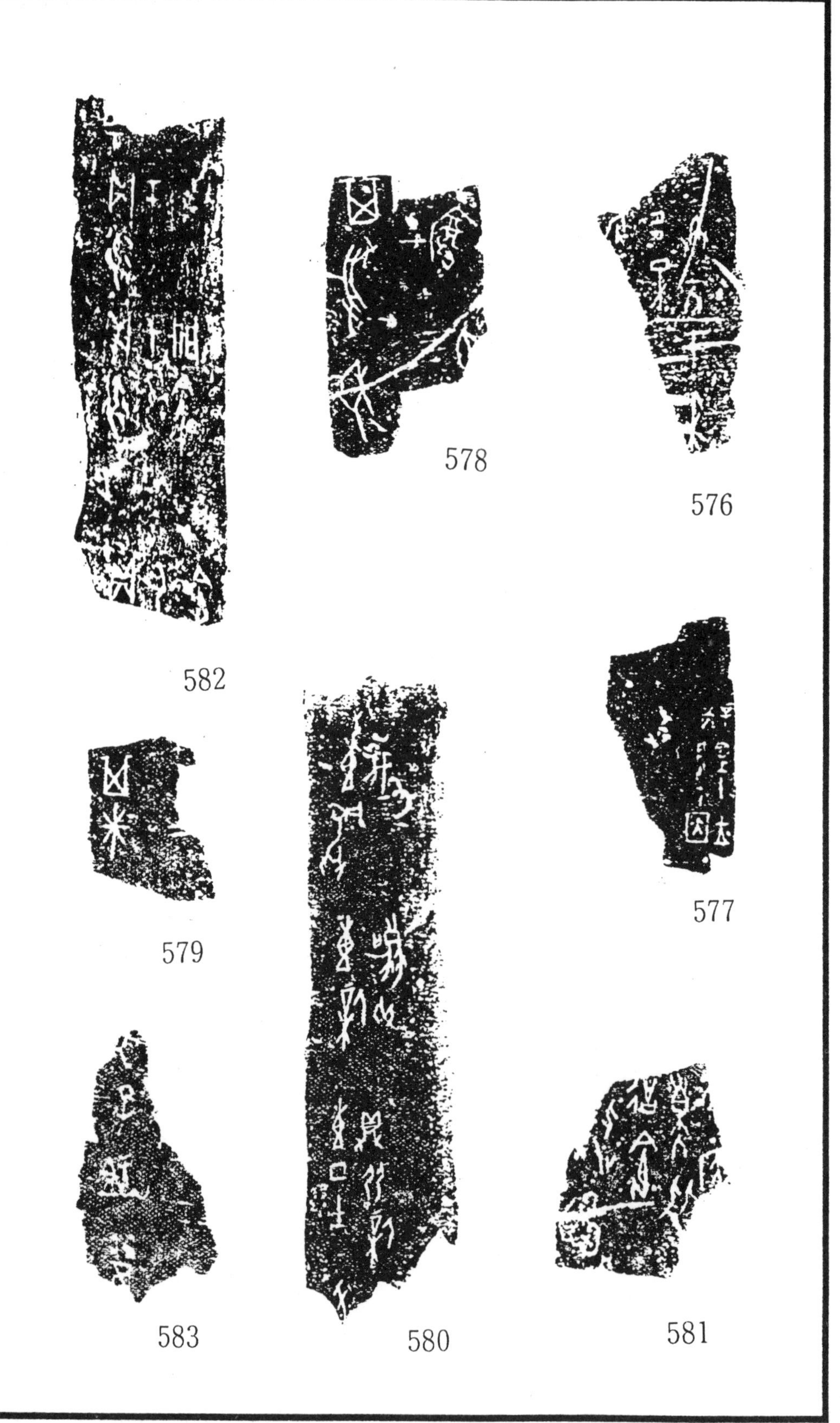
582
578
576
579
577
583
580
581

584

585

586

587

588

589

590

591

592

598

596

593

599

597

594

601

600

595

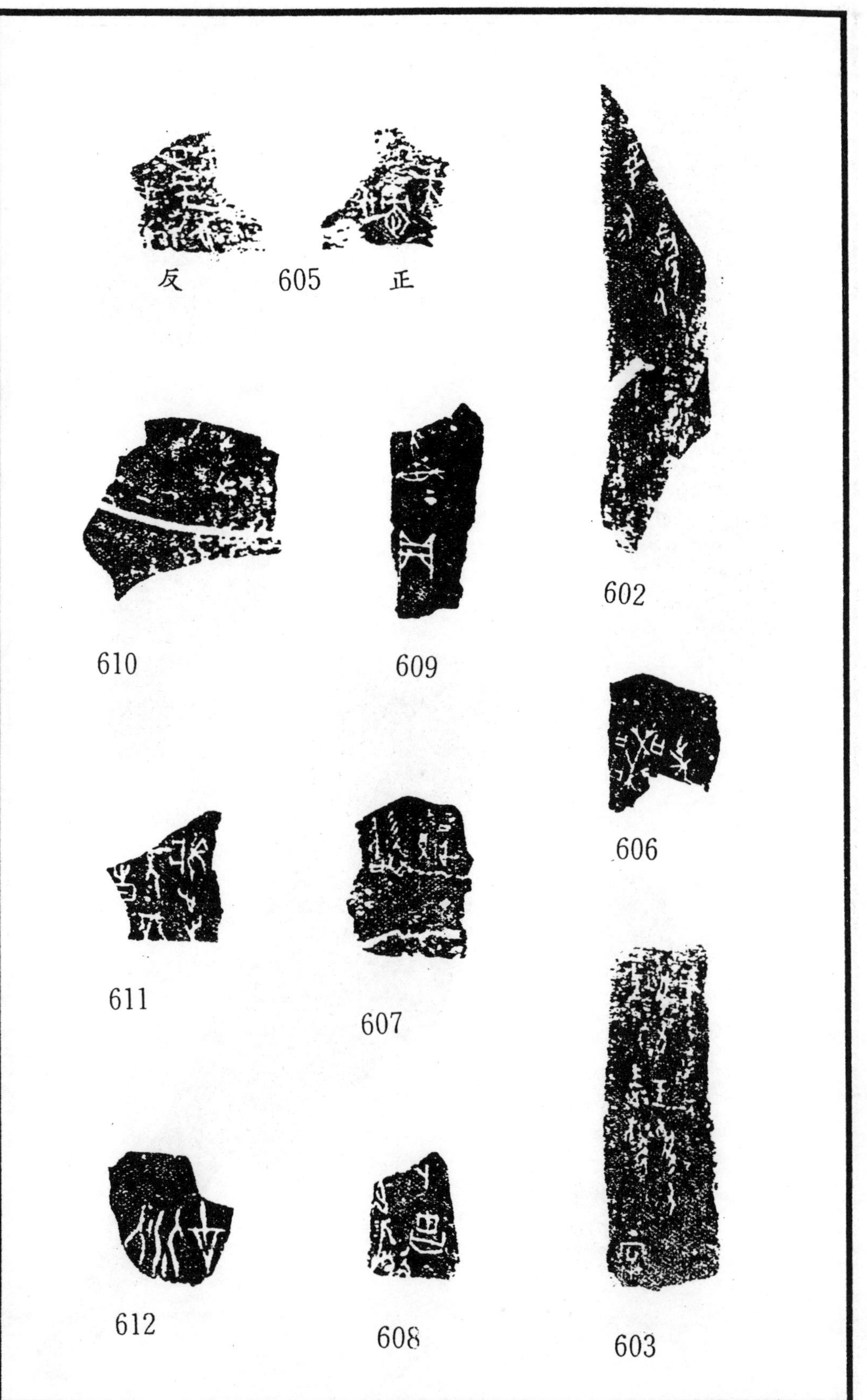

反 605 正

602

610 609

606

611 607

612 608 603

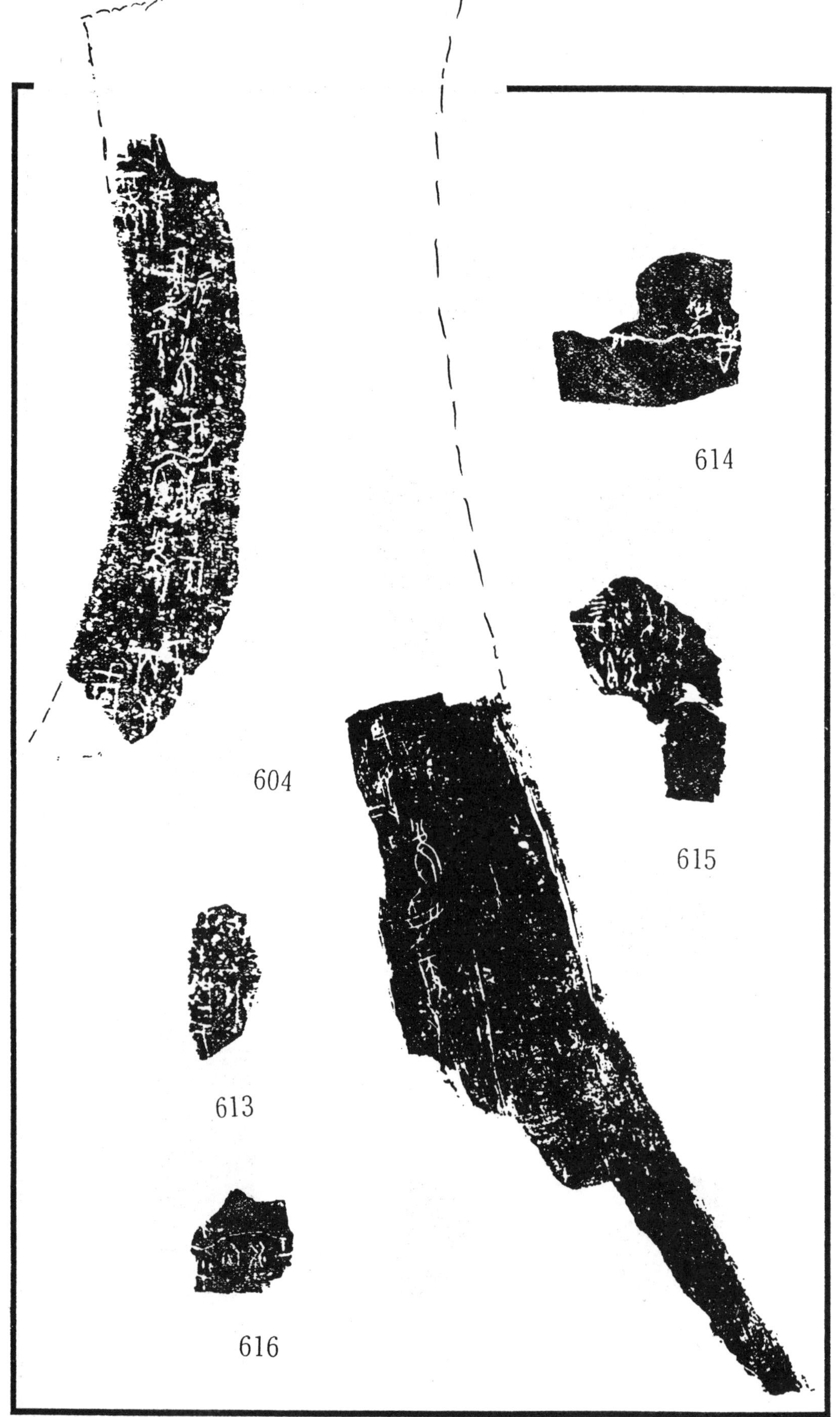
604
614
615
613
616

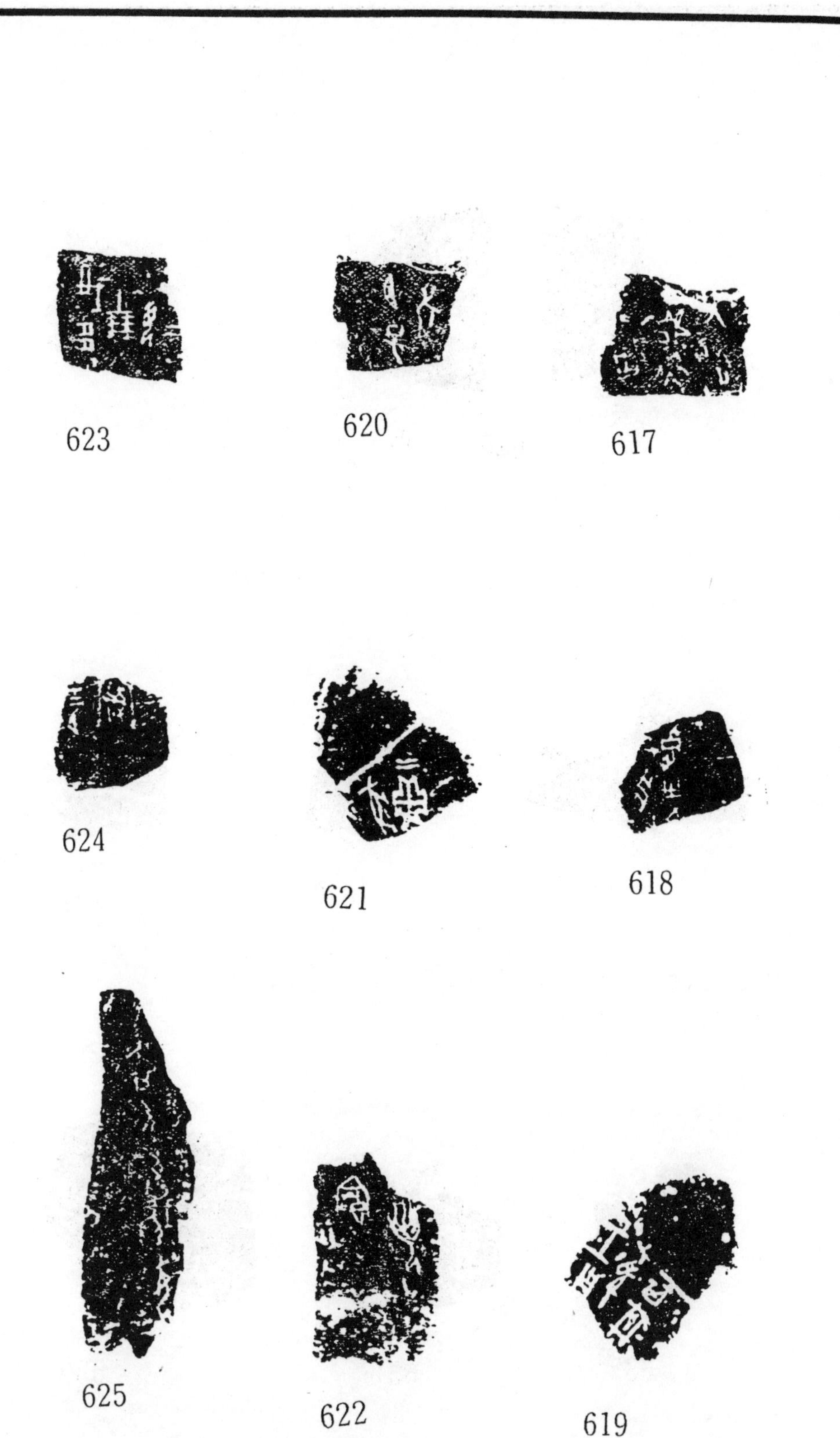
623
620
617
624
621
618
625
622
619

反 628 正

626

629

627

632

633

631

630

636

637

640

638

635

641

639

634

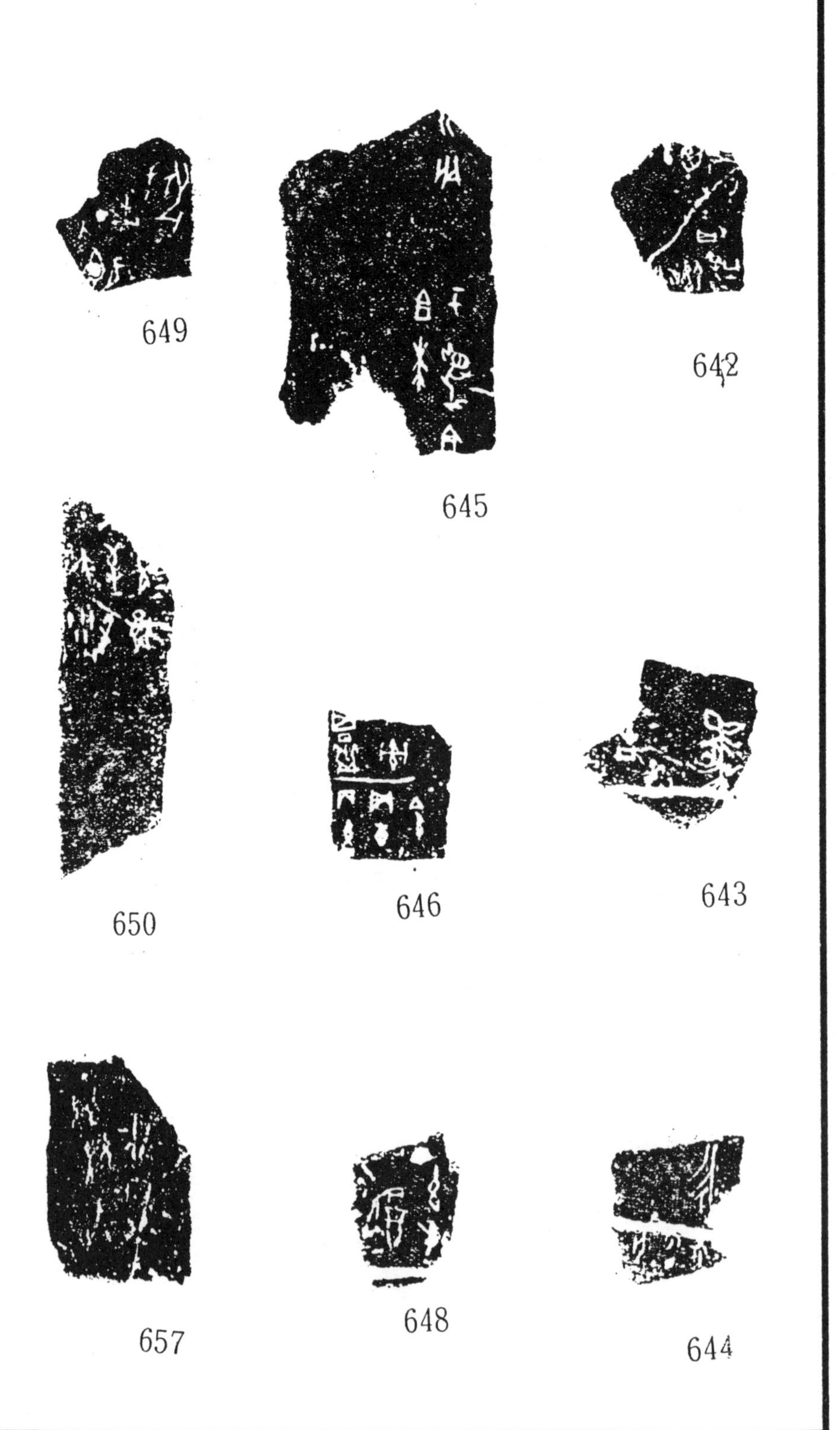
649
645
642
650
646
643
657
648
644

647

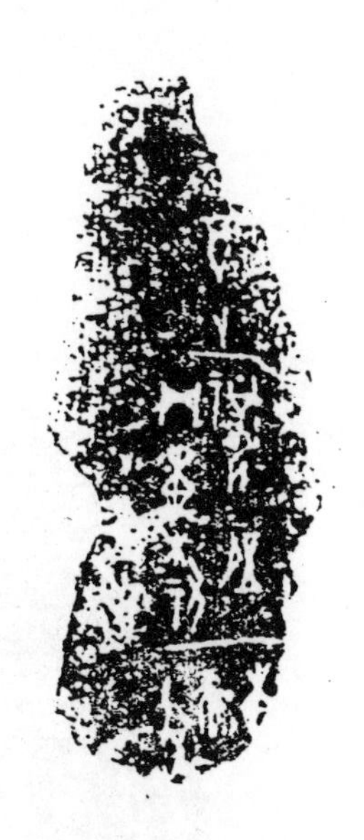

652

651

659

658

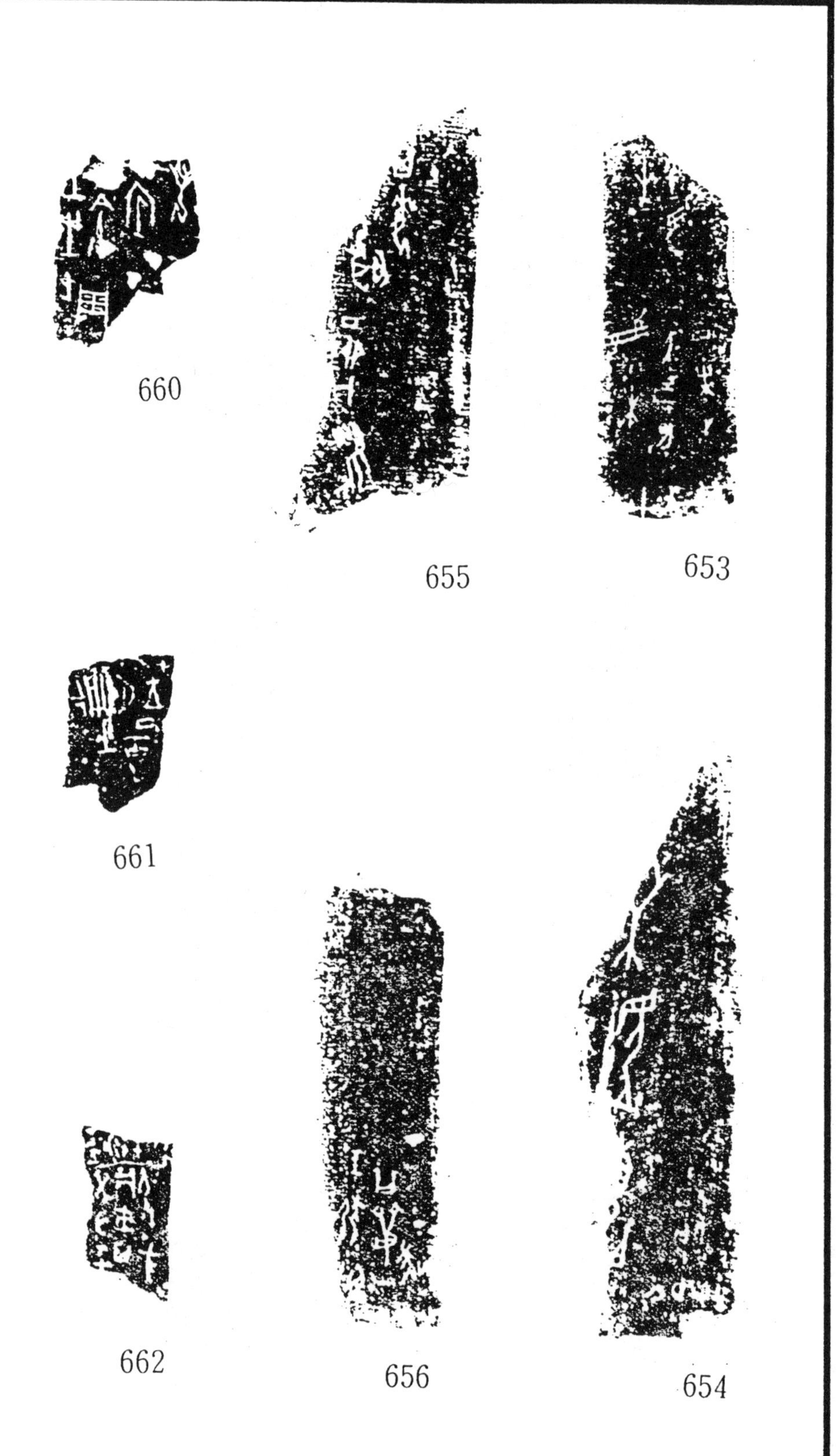
660
655
653
661
662
656
654

668

665

663

669

667

664

670

反 666 正

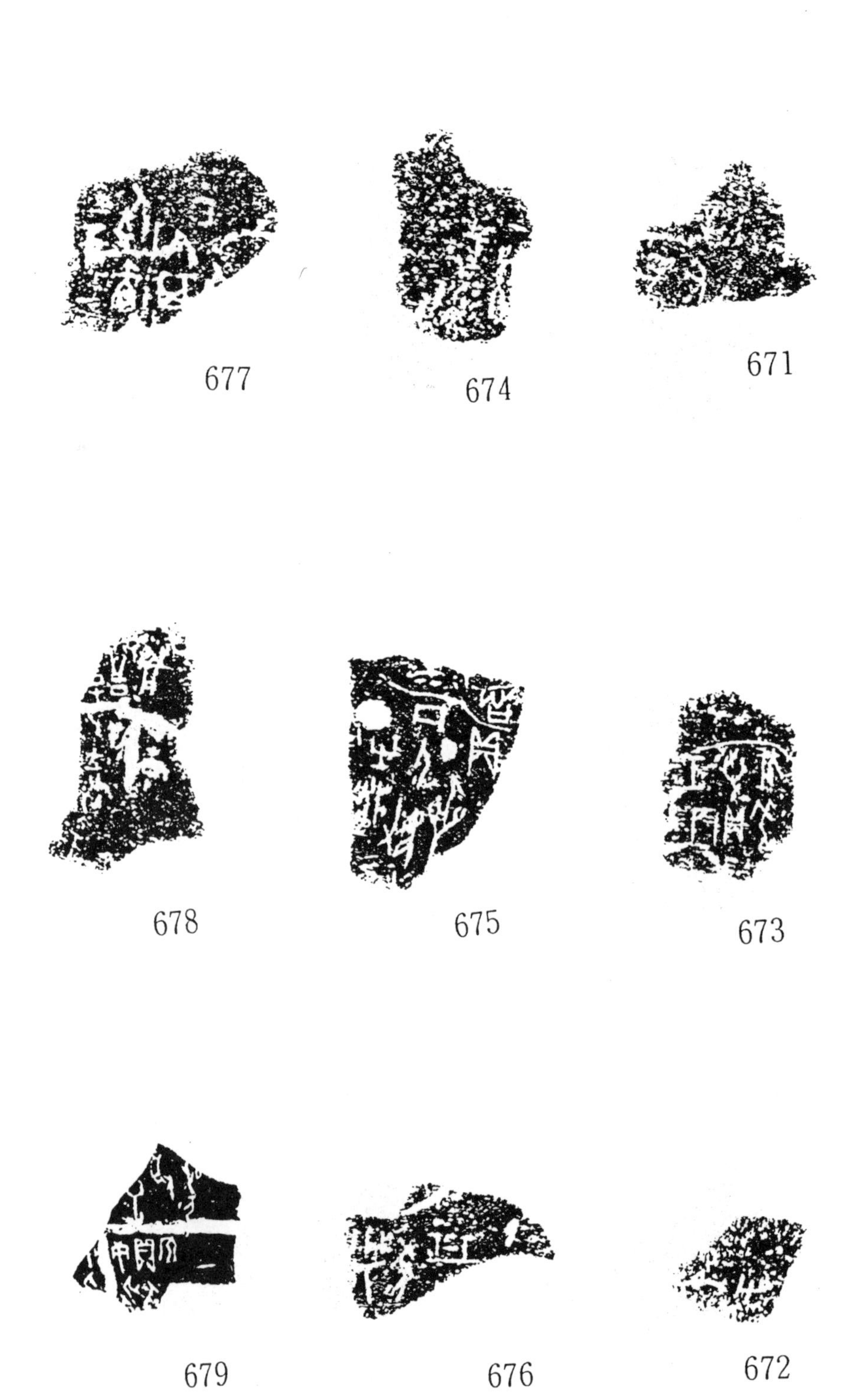
677
674
671
678
675
673
679
676
672

反 685 正

680

684

683

681

686

682

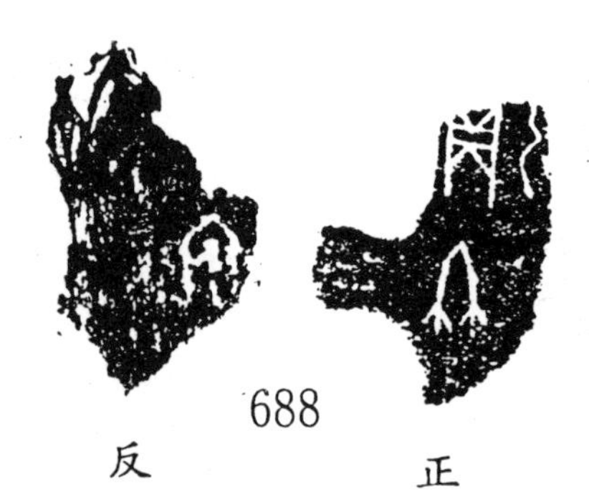
688
反 正

687

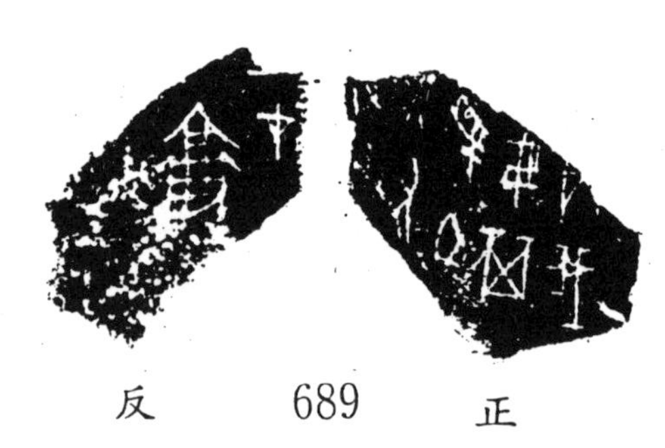
反 689 正

690

693

692

691

694

695

696

697

698

699

700

701

702

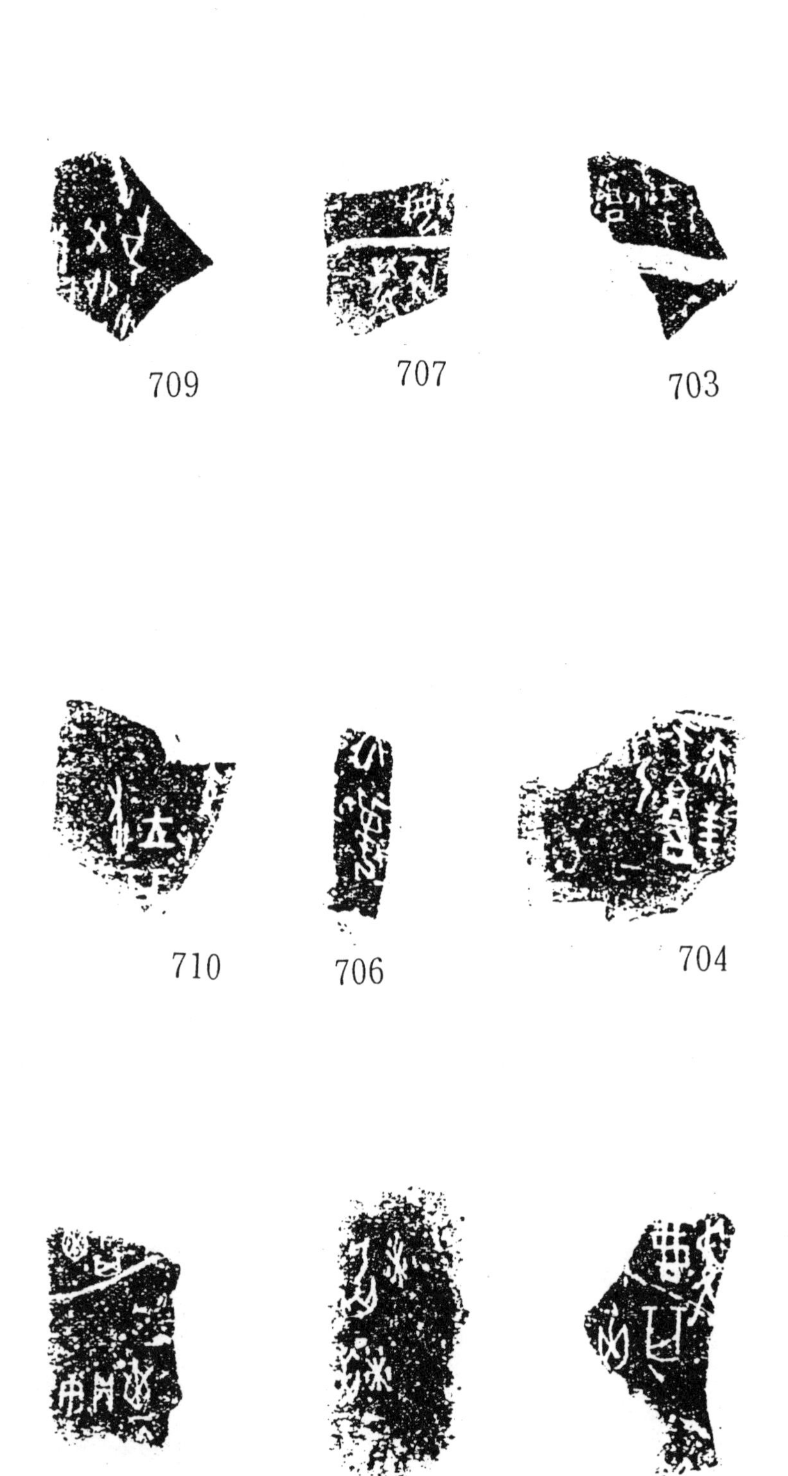
709
707
703
710
706
704
711
708
705

718

715

712

719

716

713

720

717

714

727

724

721

728

725

722

726

723

734

729

735

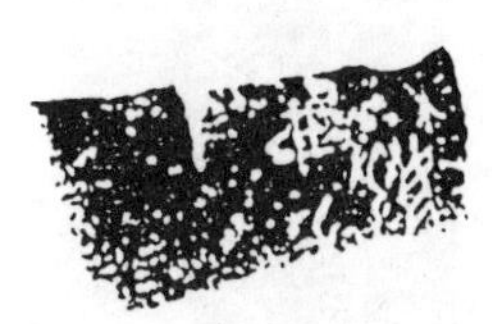

732

730

736

733

731

743

740

737

744

741

738

745

742

739

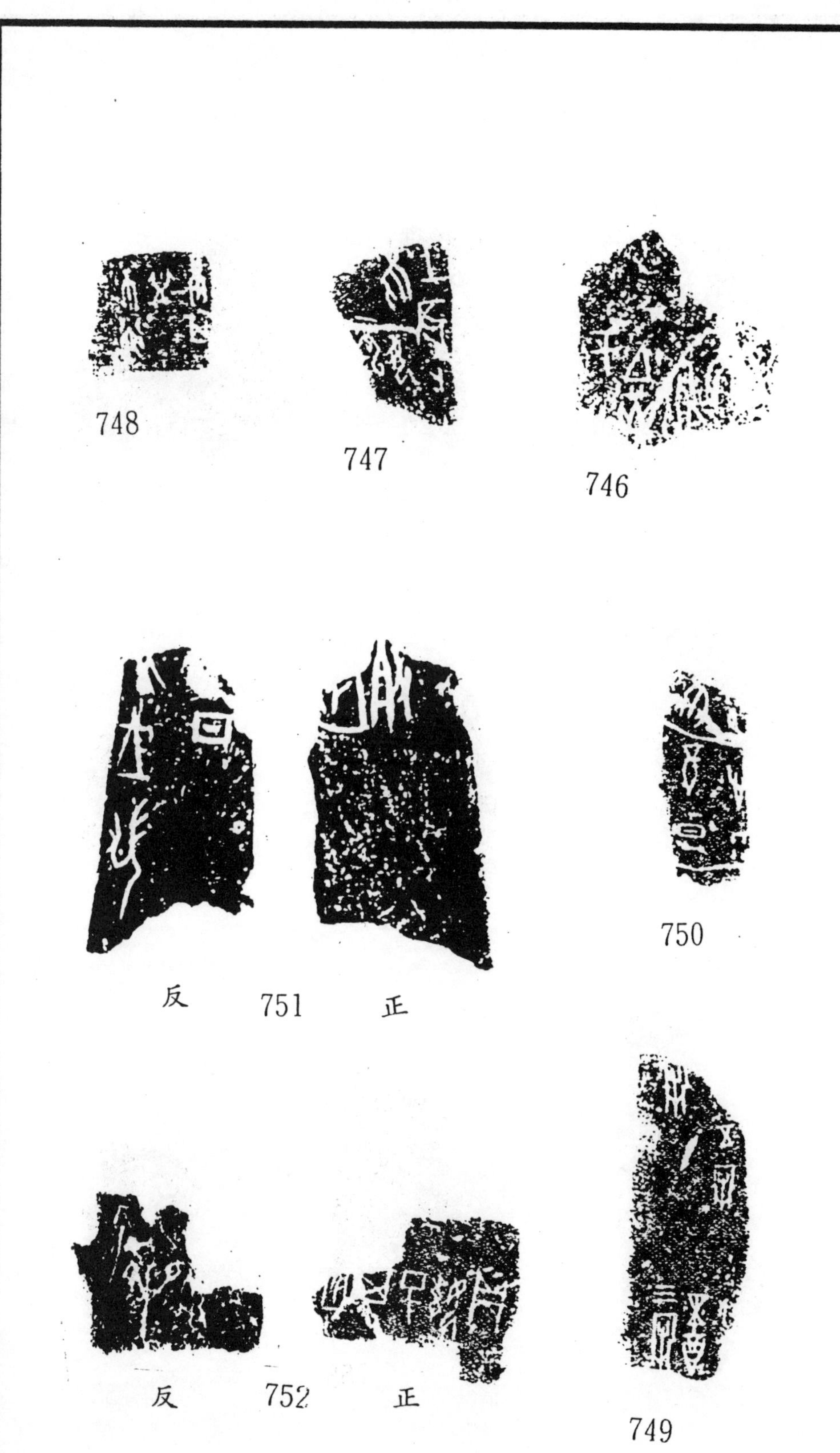

748
747
746
反
751
正
750
反
752
正
749

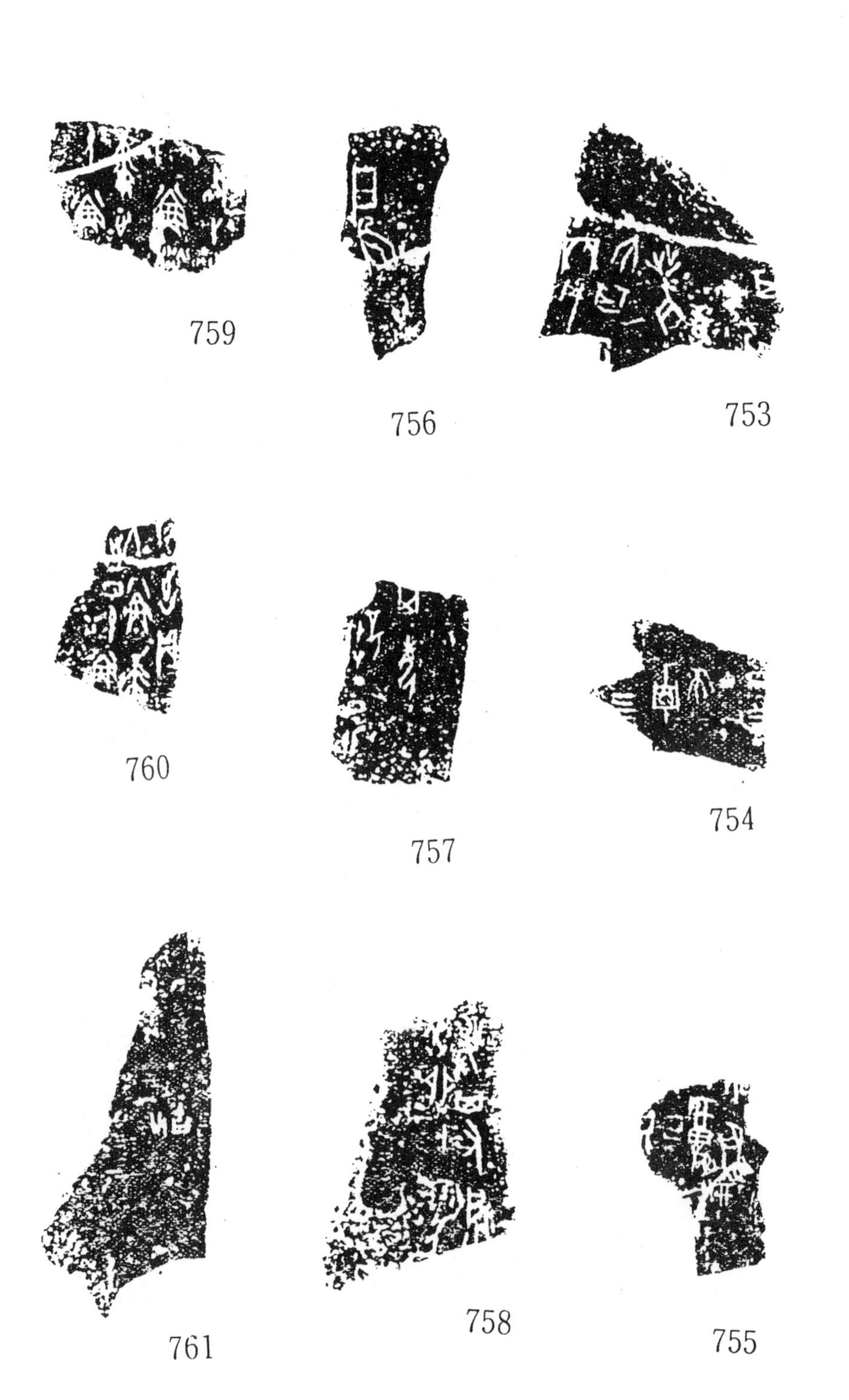
759
756
753
760
757
754
761
758
755

768

765

762

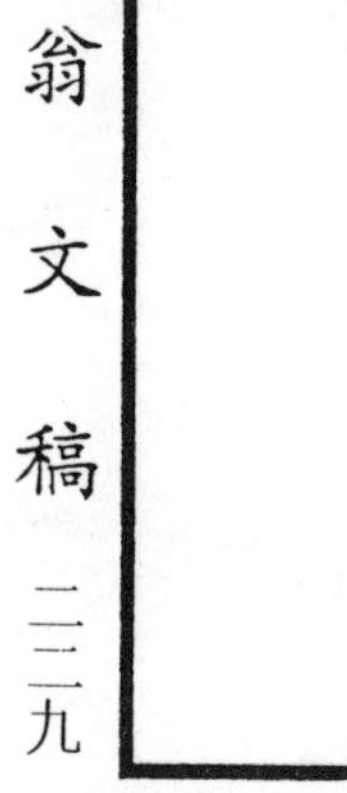
769

766

763

767

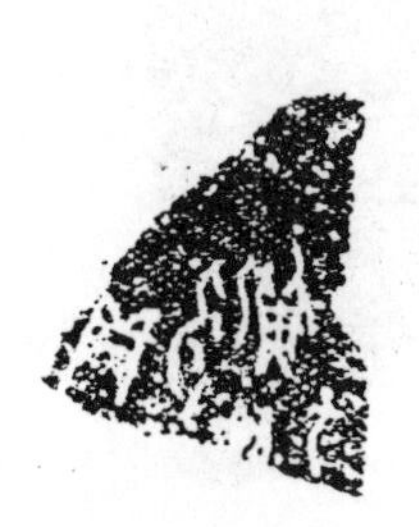
770

764

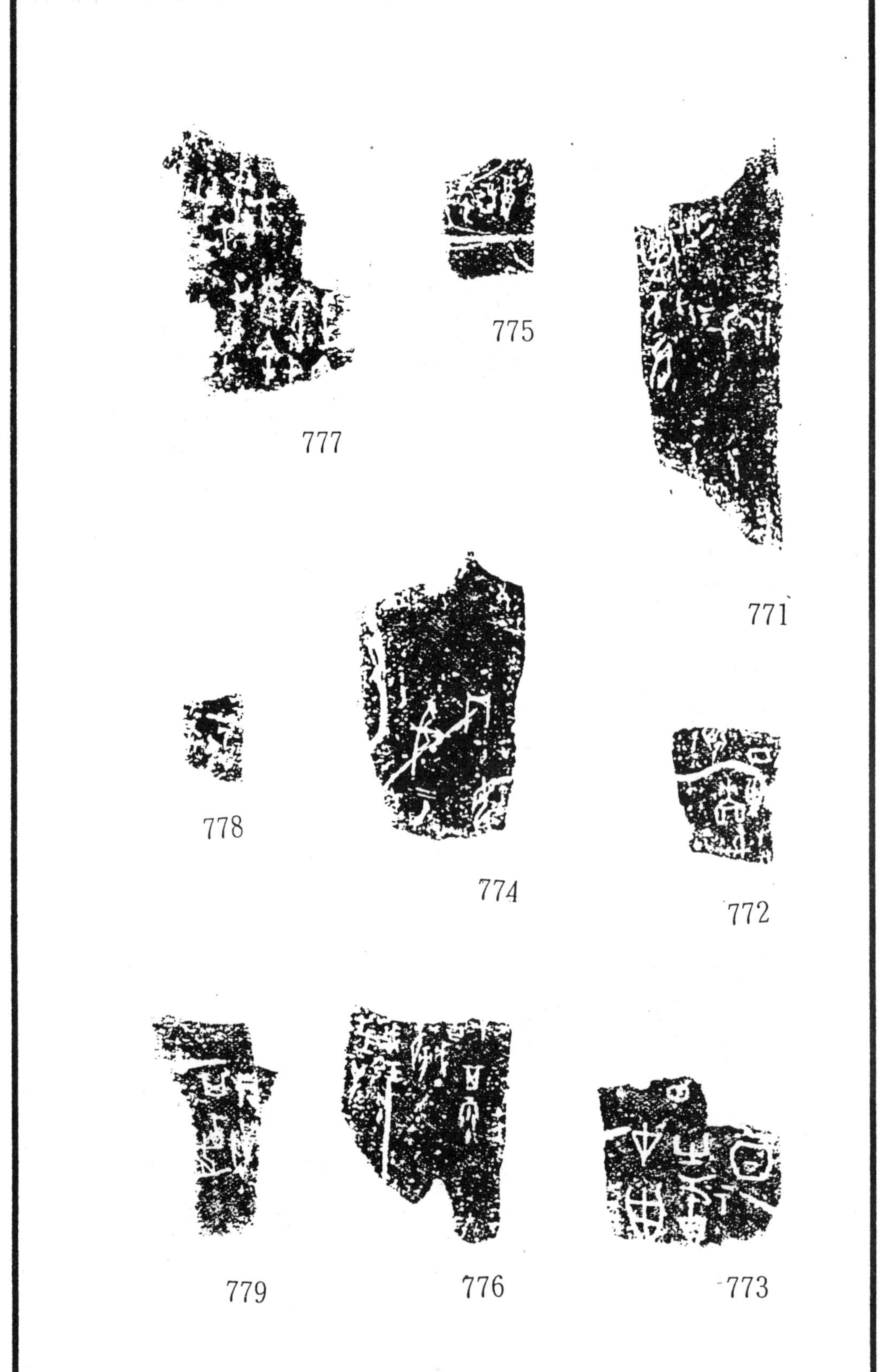
777
775
771
778
774
772
779
776
773

786

783

780

784

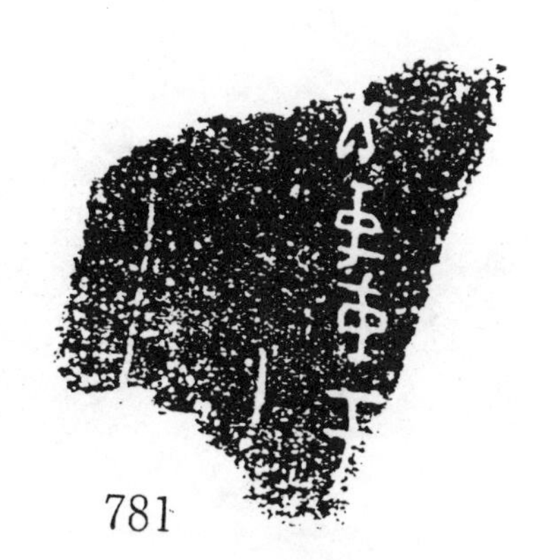

781

787

785

782

792

793

788

794

791

789

反　795　正

790

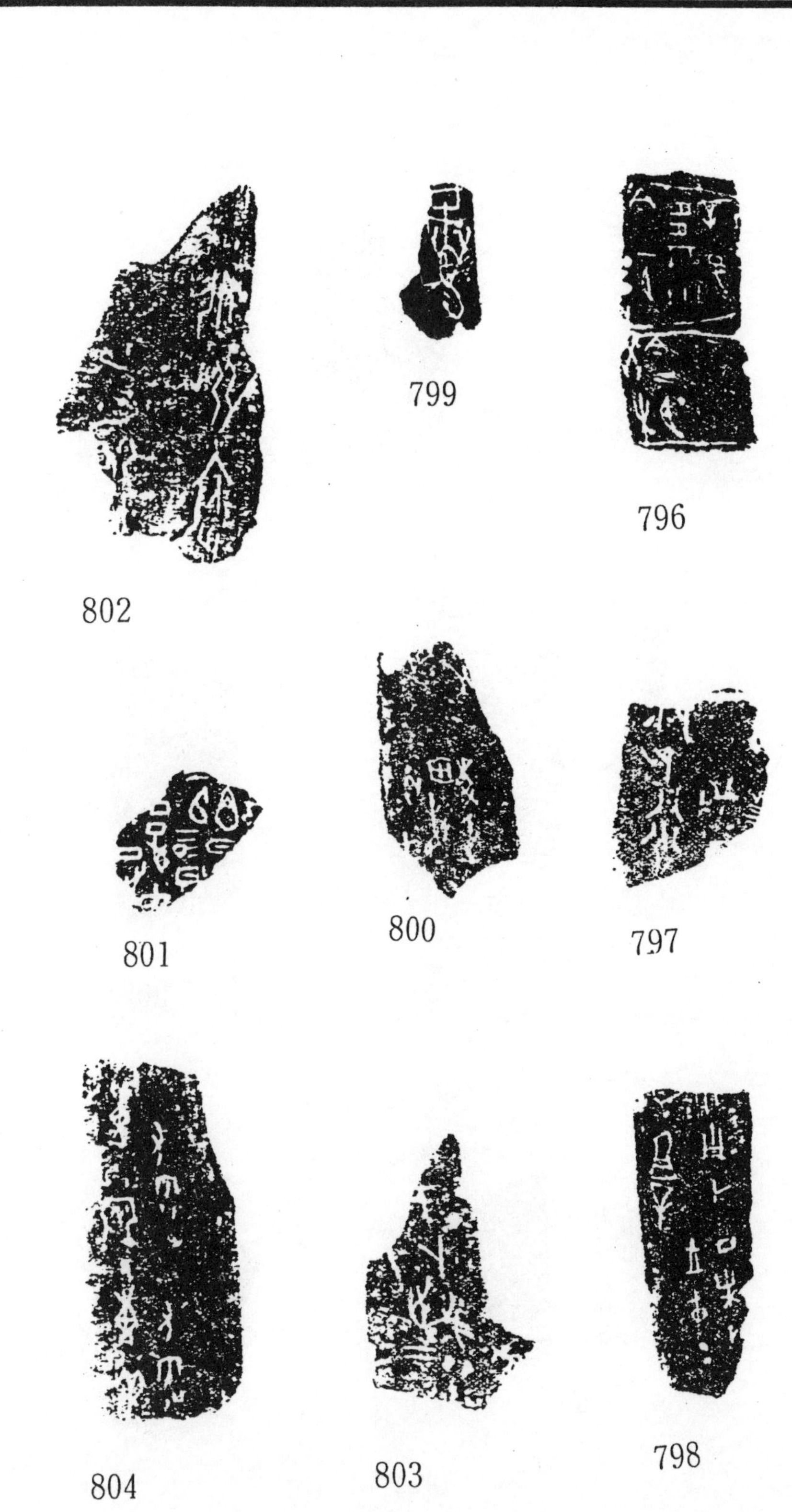
799
796
802
800
801
797
804
803
798

808

反 805 正

反 810 正

806

反 809 正

807

816

815

811

817

814

812

反 818 正

813

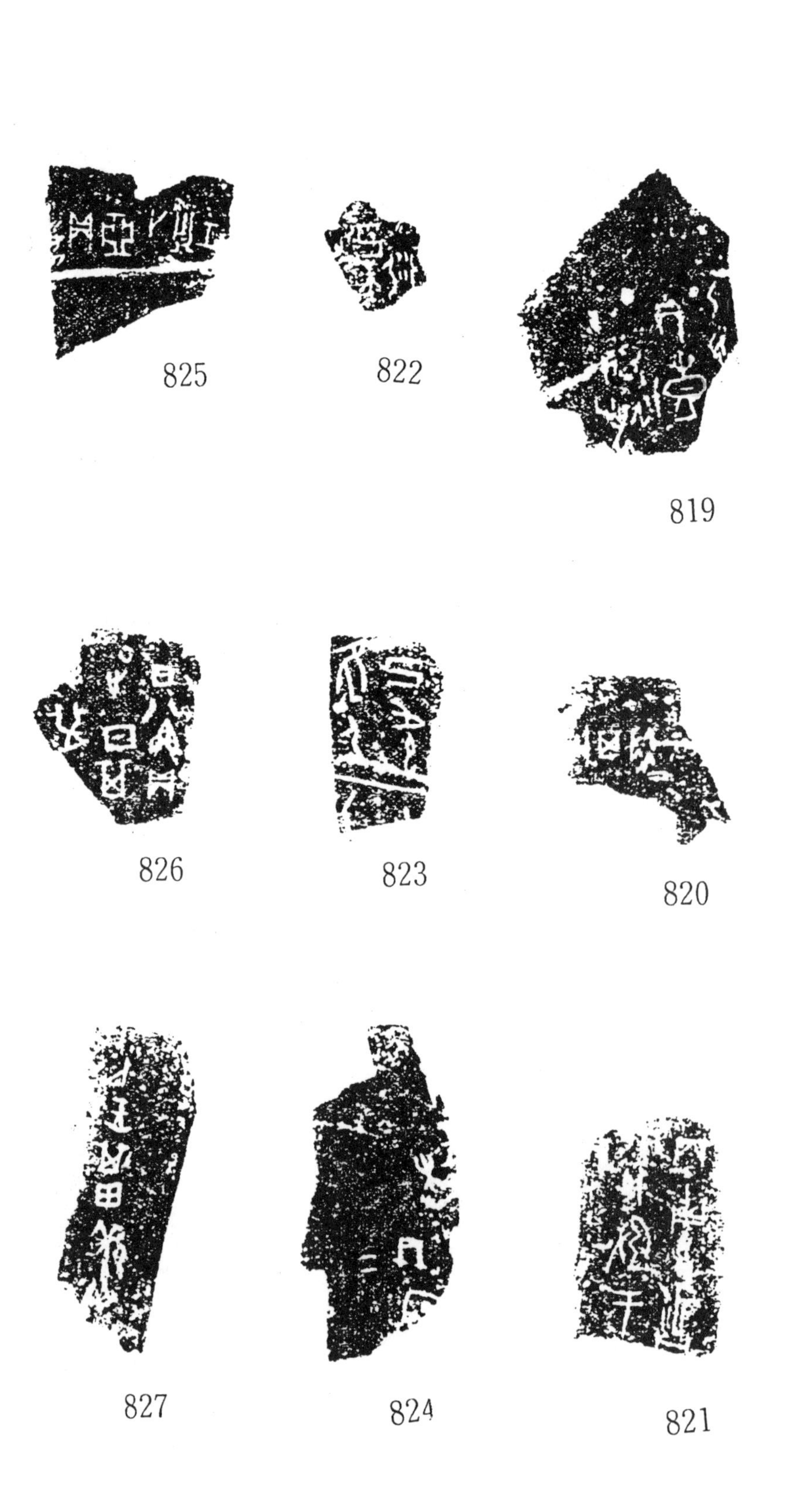

825 822 819

826 823 820

827 824 821

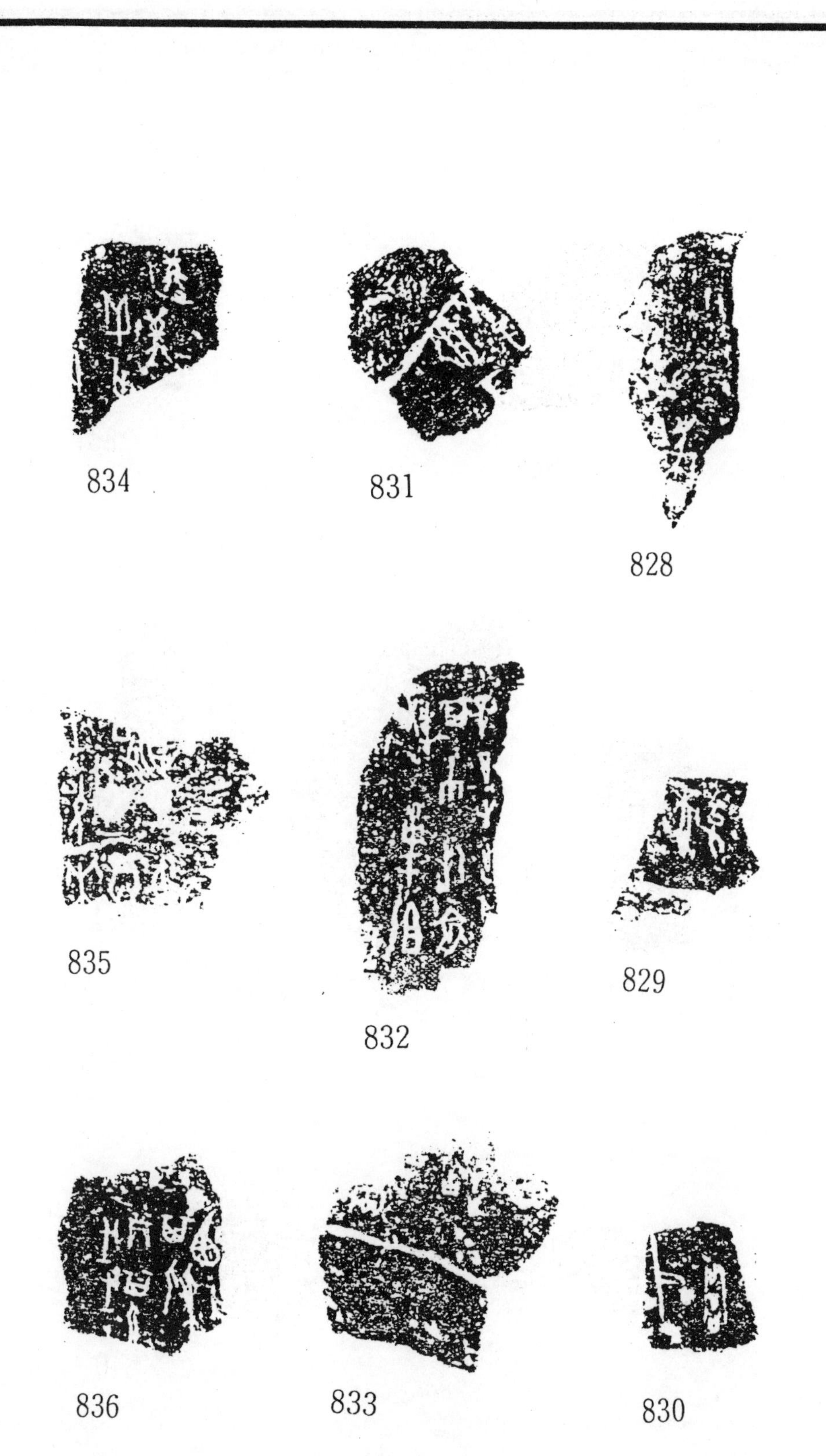

834 831 828

835 832 829

836 833 830

846

839
重見
501

刪

837

843

841

838

842

840

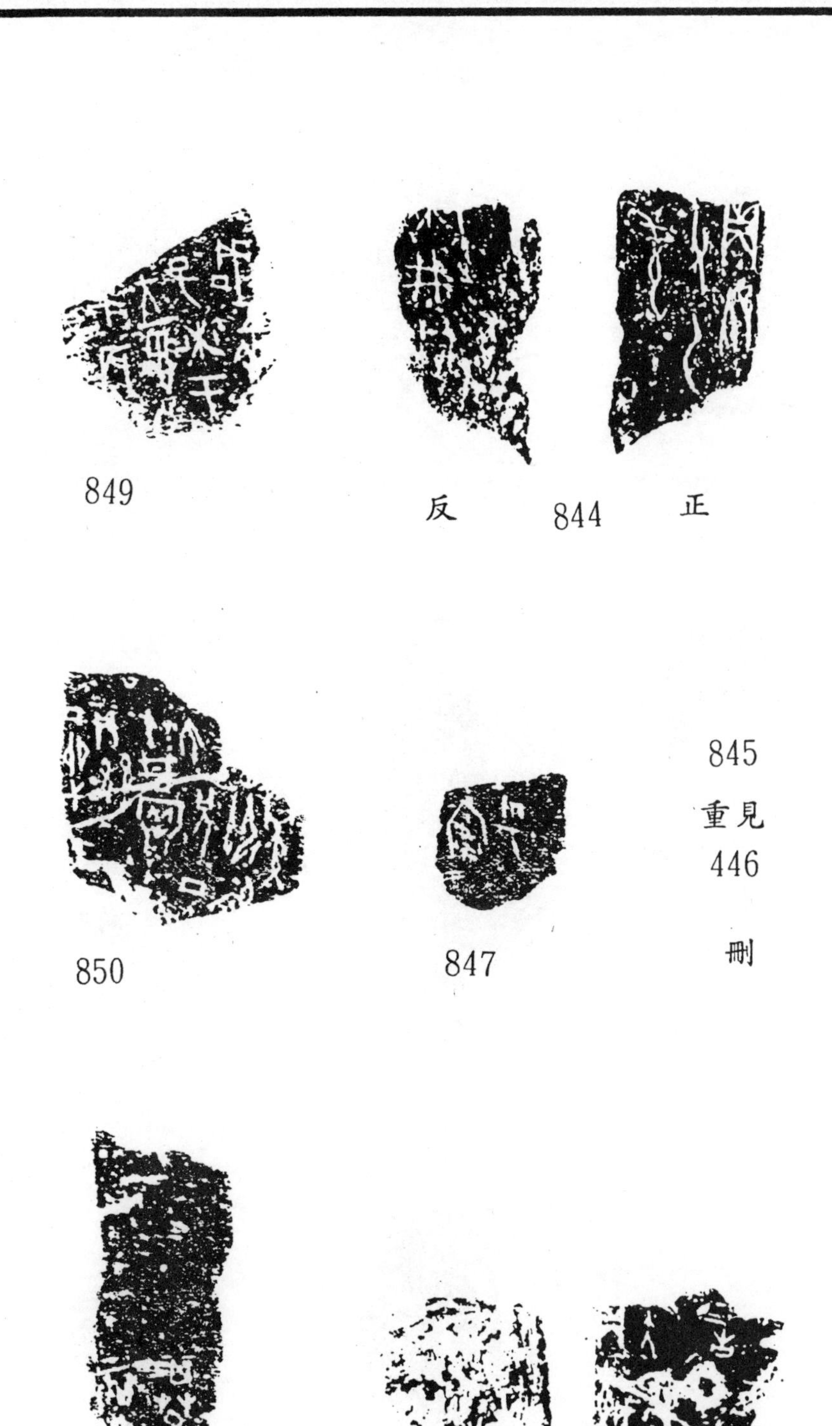

849

反 844 正

850

847

845
重見
446
刪

851

反 848 正

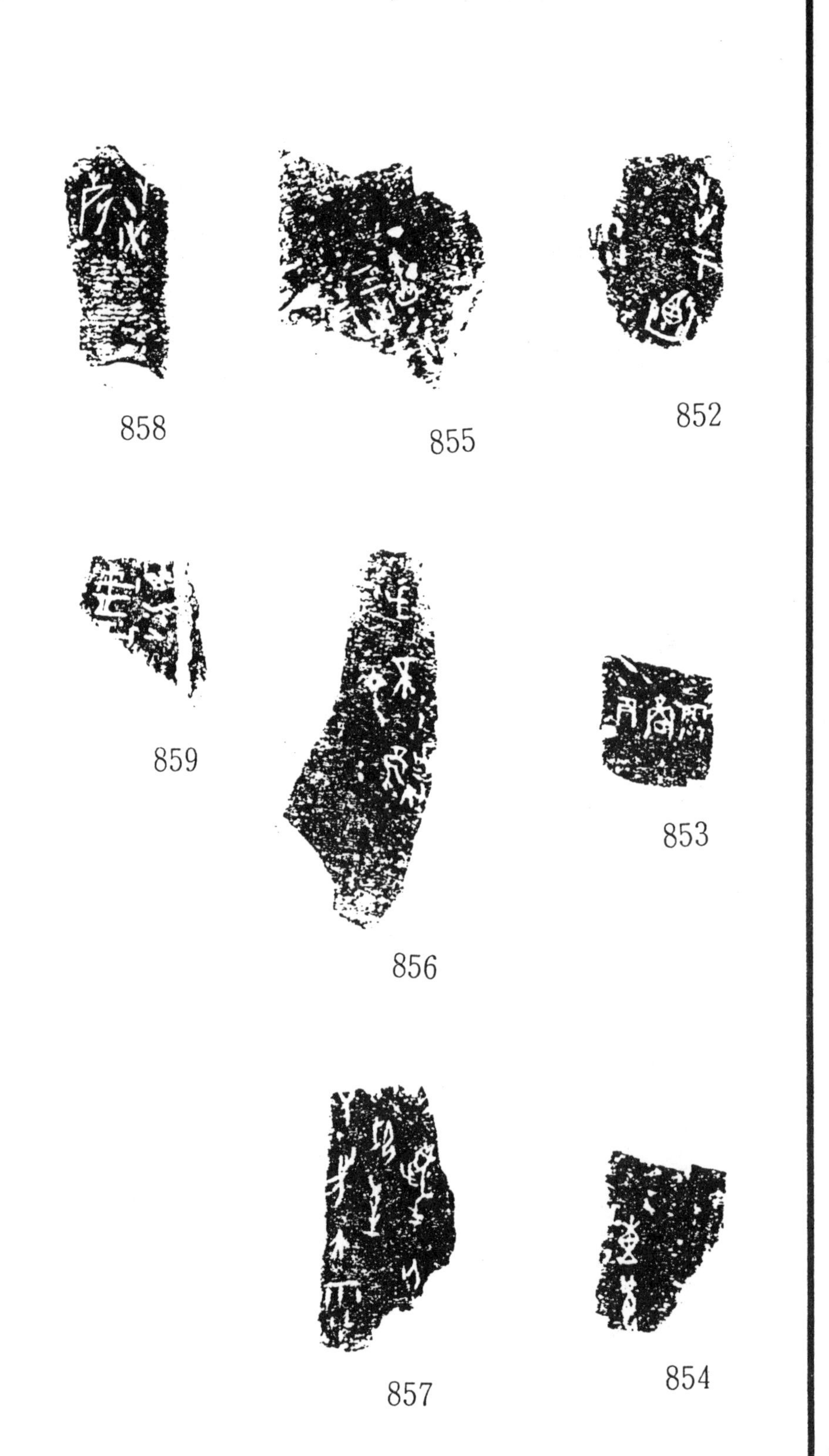
858 855 852

859 856 853

857 854

861

860

八六二至八六九見馮氏藏拓

870

871

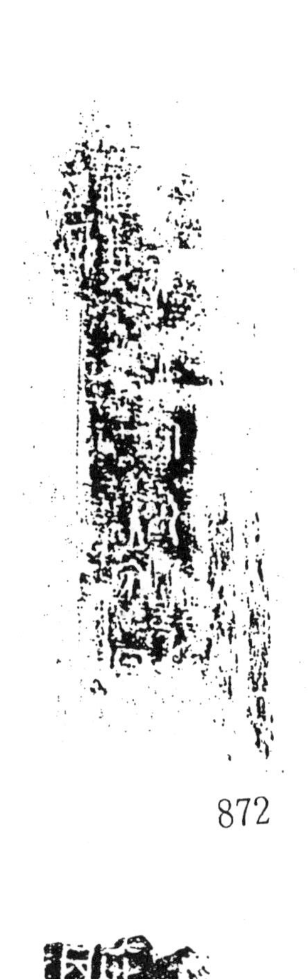

872

874

875

873

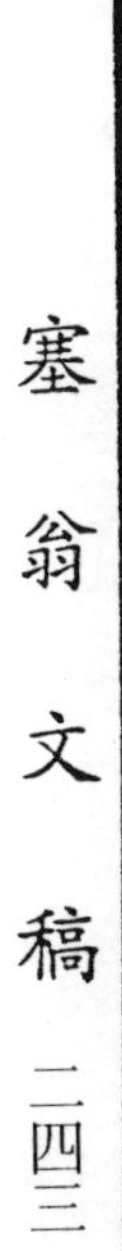

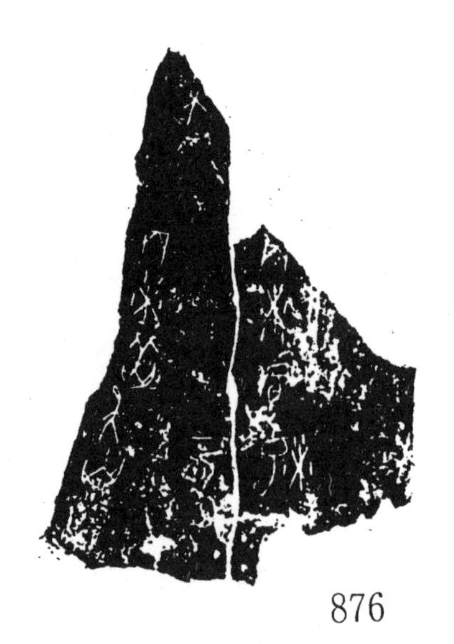
876

878

877

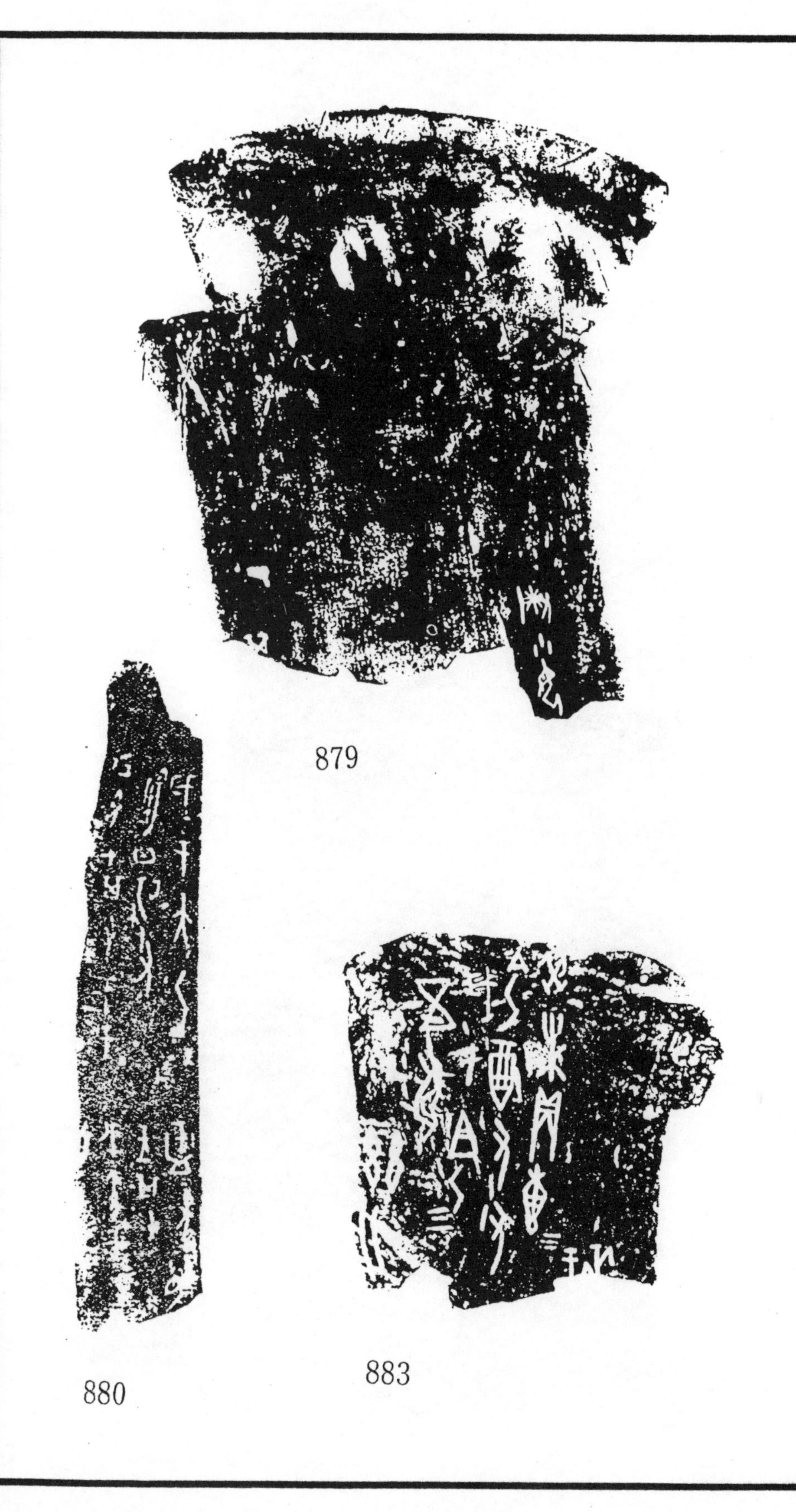

879

880

883

884

886　正

885

白

882

887

881

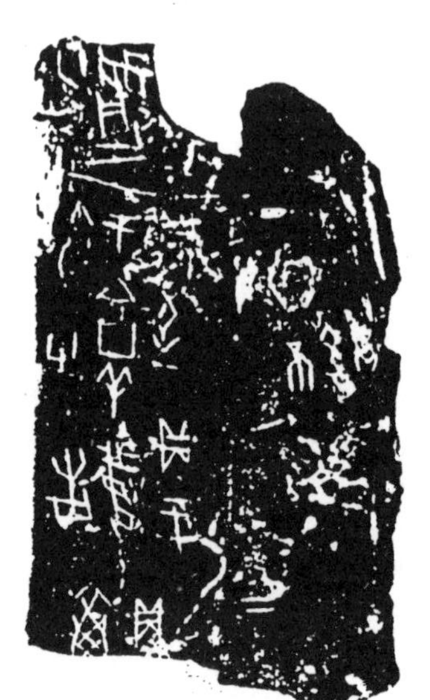

反　890　正

889

890.1

888

893

891

895

894

892

897

896

898

899

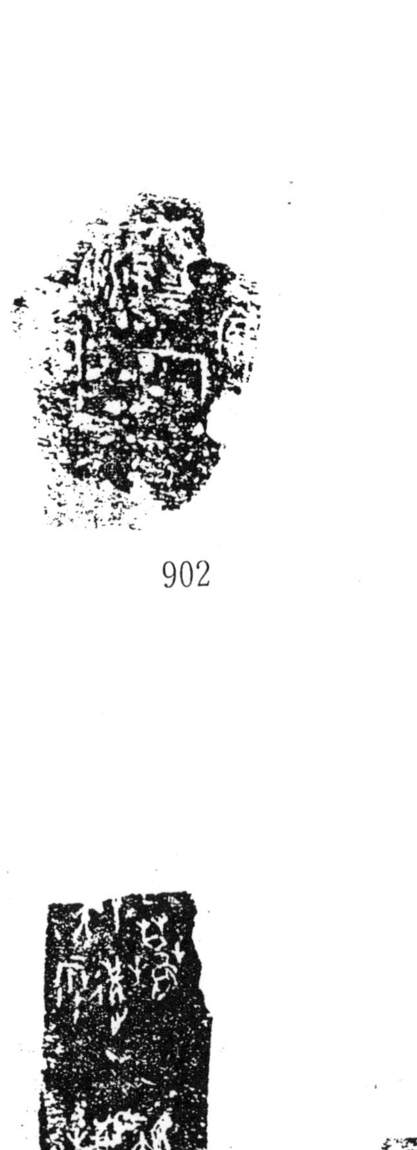

902

900

901

903

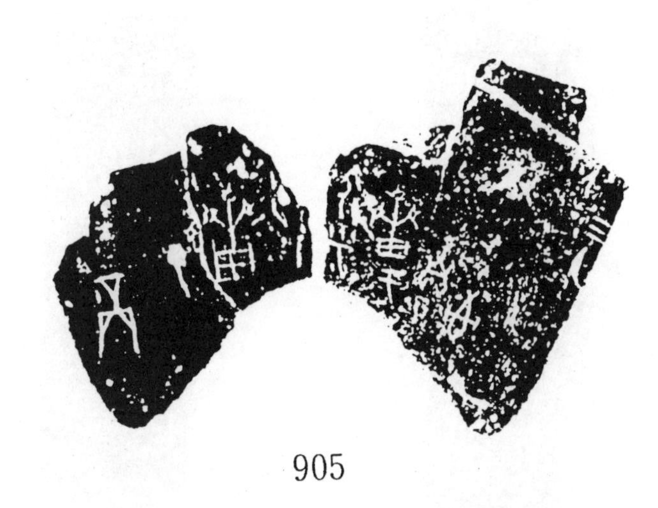

905

911

904

909

908

906

907

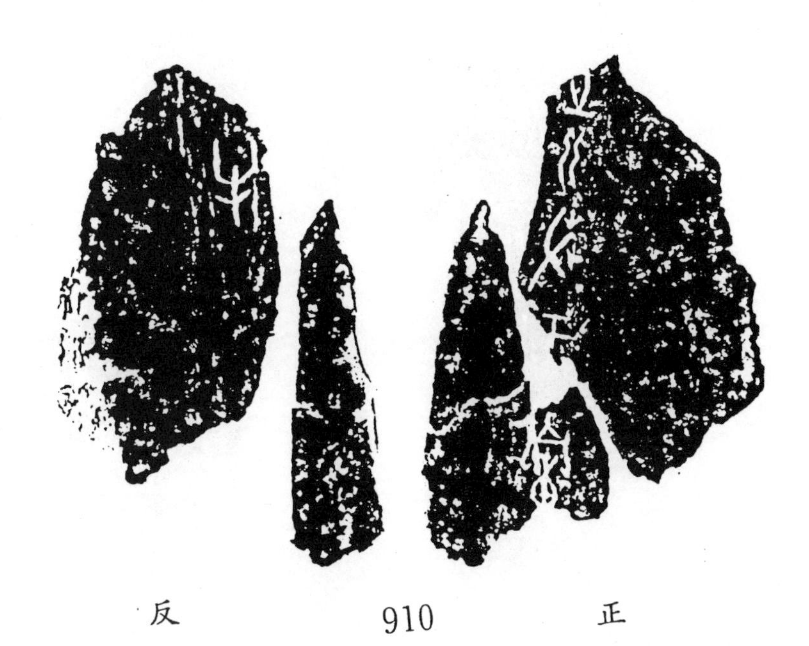

反　910　正

912

913

914

九一五
見馮氏
藏拓

919

917

918

916

922

920

正

923

反

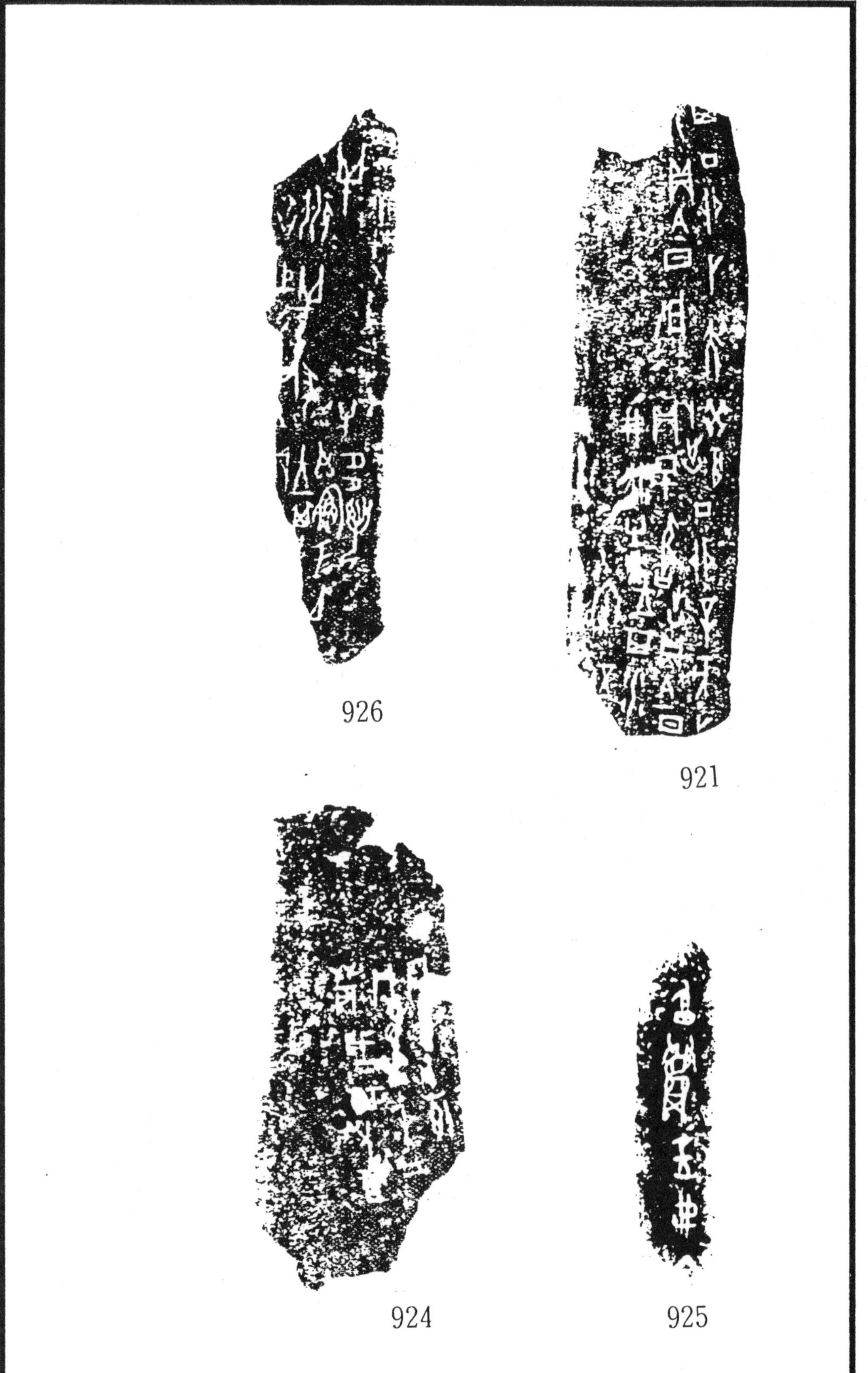

926　921

924　925

927

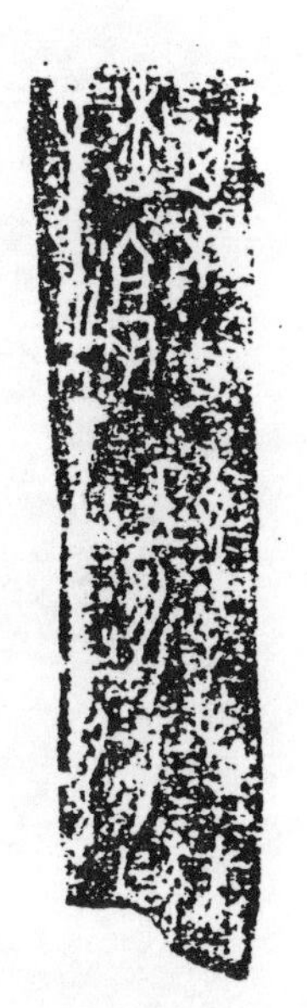

928

929

930

931

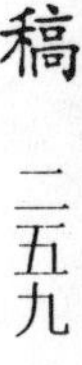

933

932

935

934

939

936

940

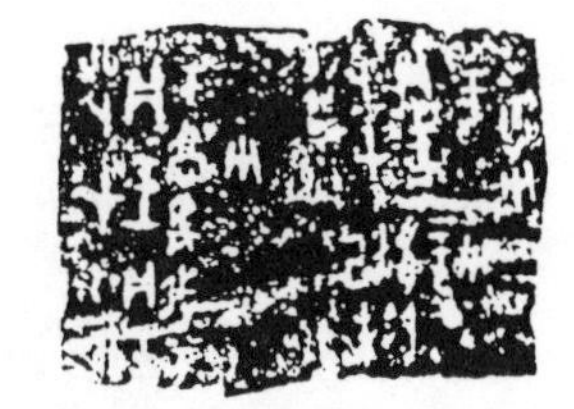

937

938

941

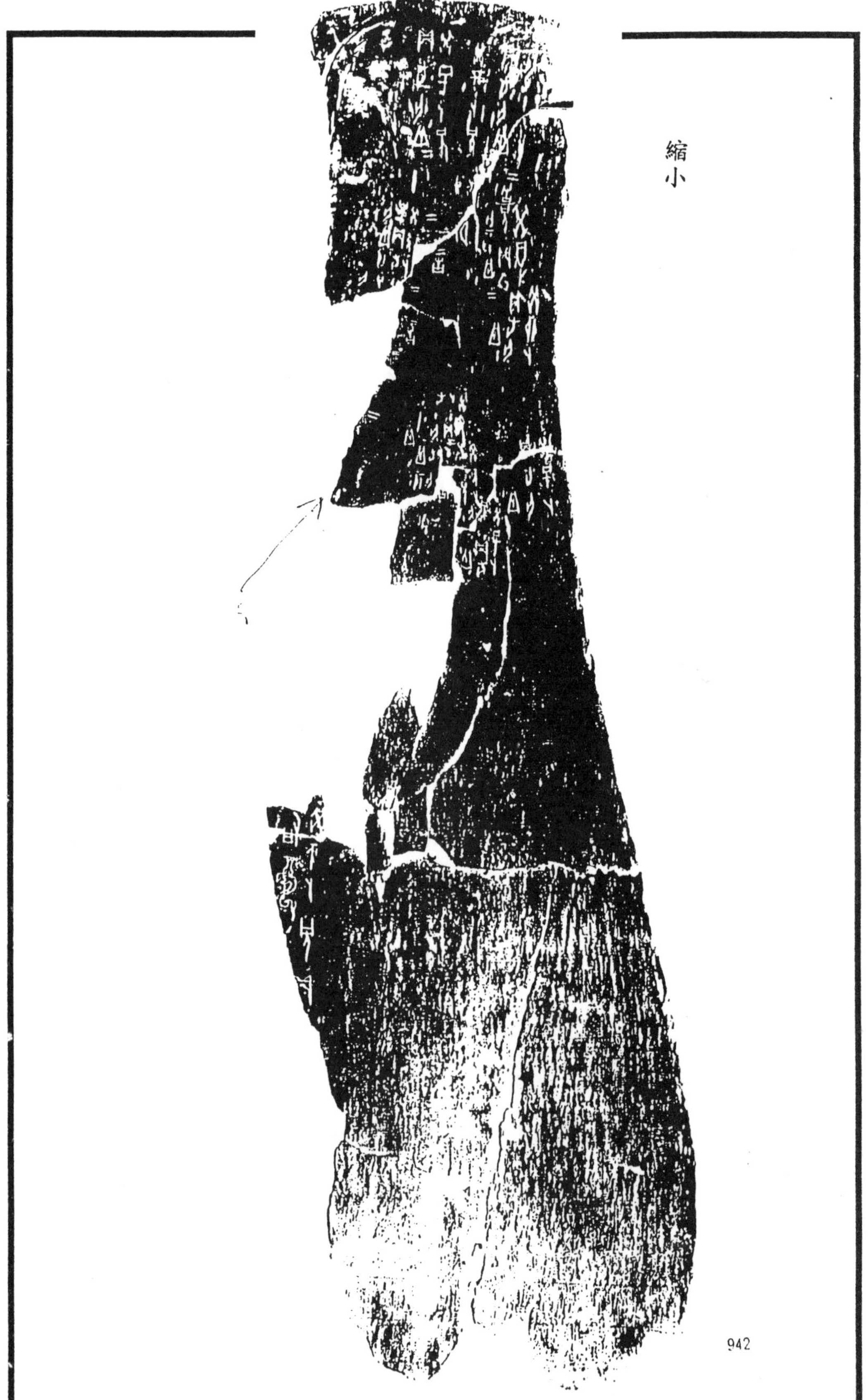

縮小

942

原大

上

942

下

943 正

反

945

948

944

946.

947

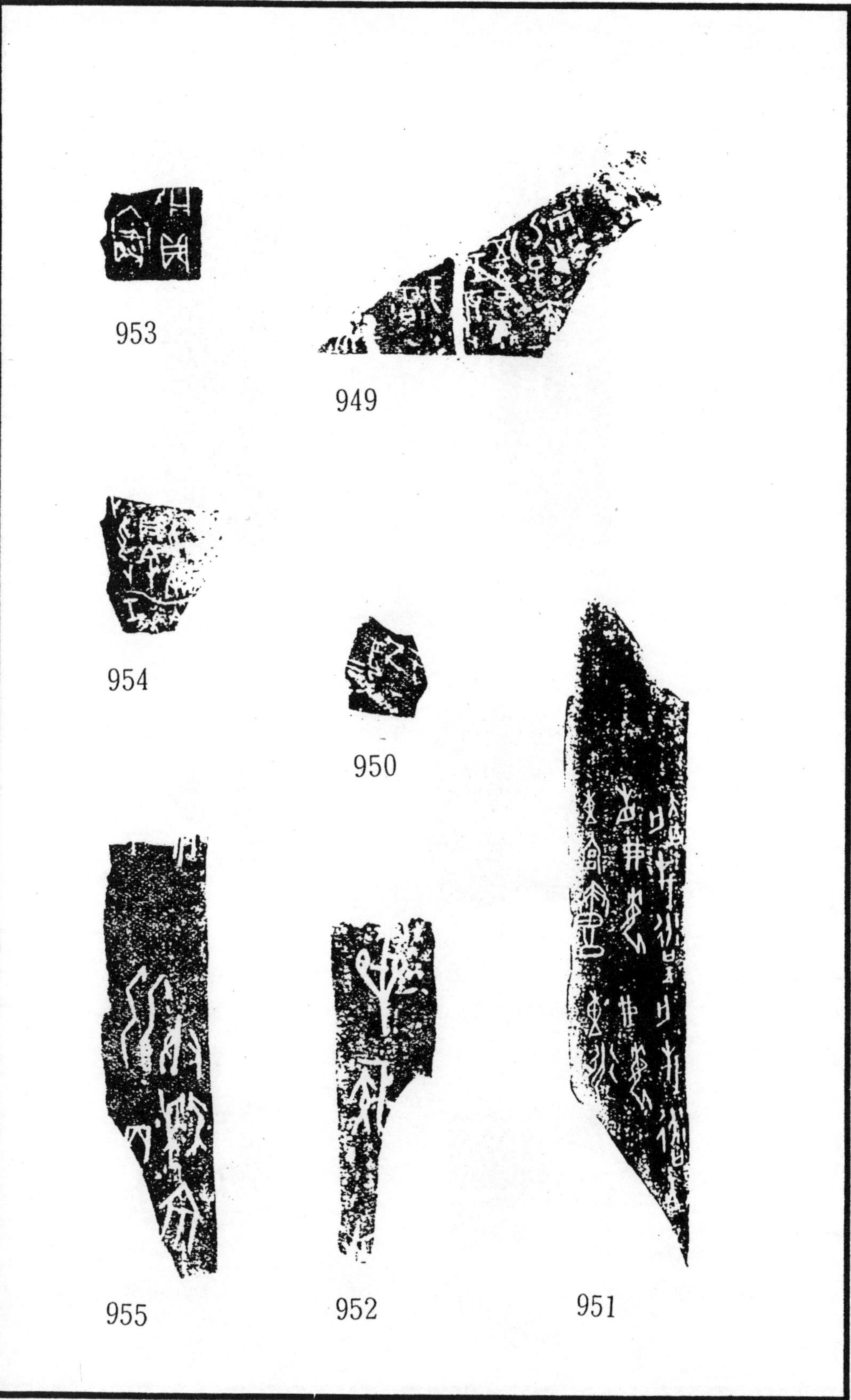

953

949

954

950

955

952

951

959

956

960

957

961

958

964

962

963

965

966

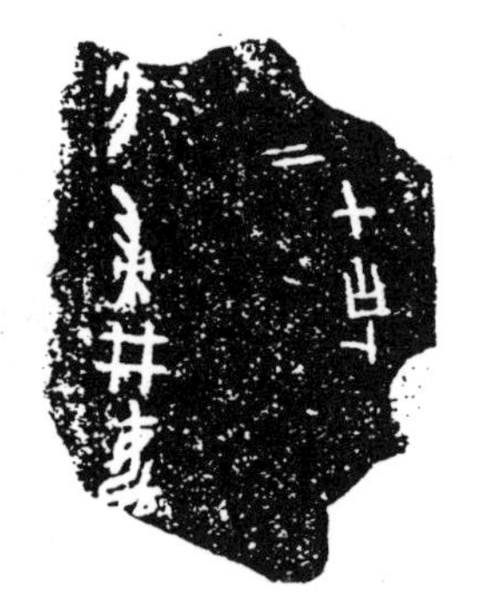

967

970

968

972

969

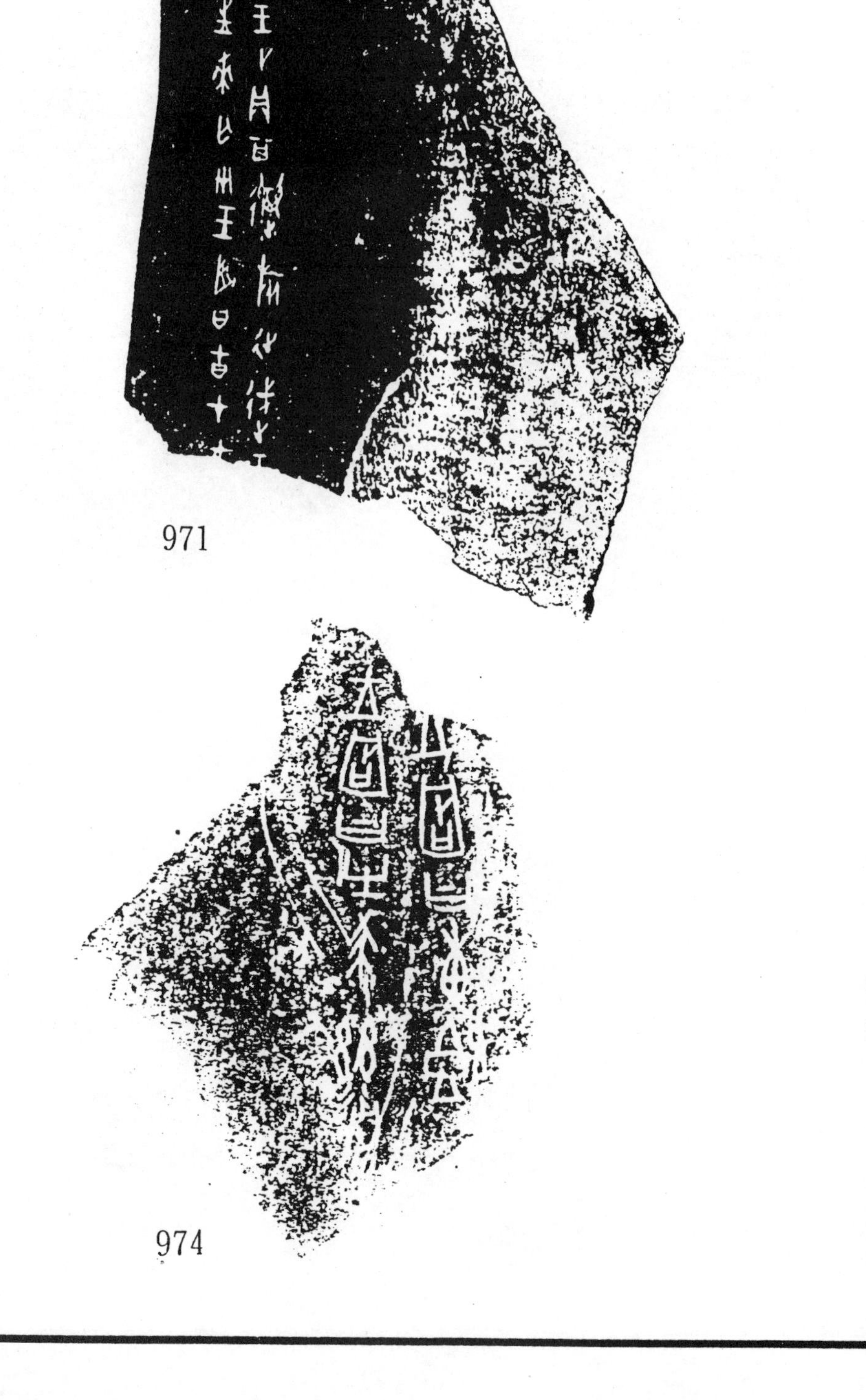

971

974

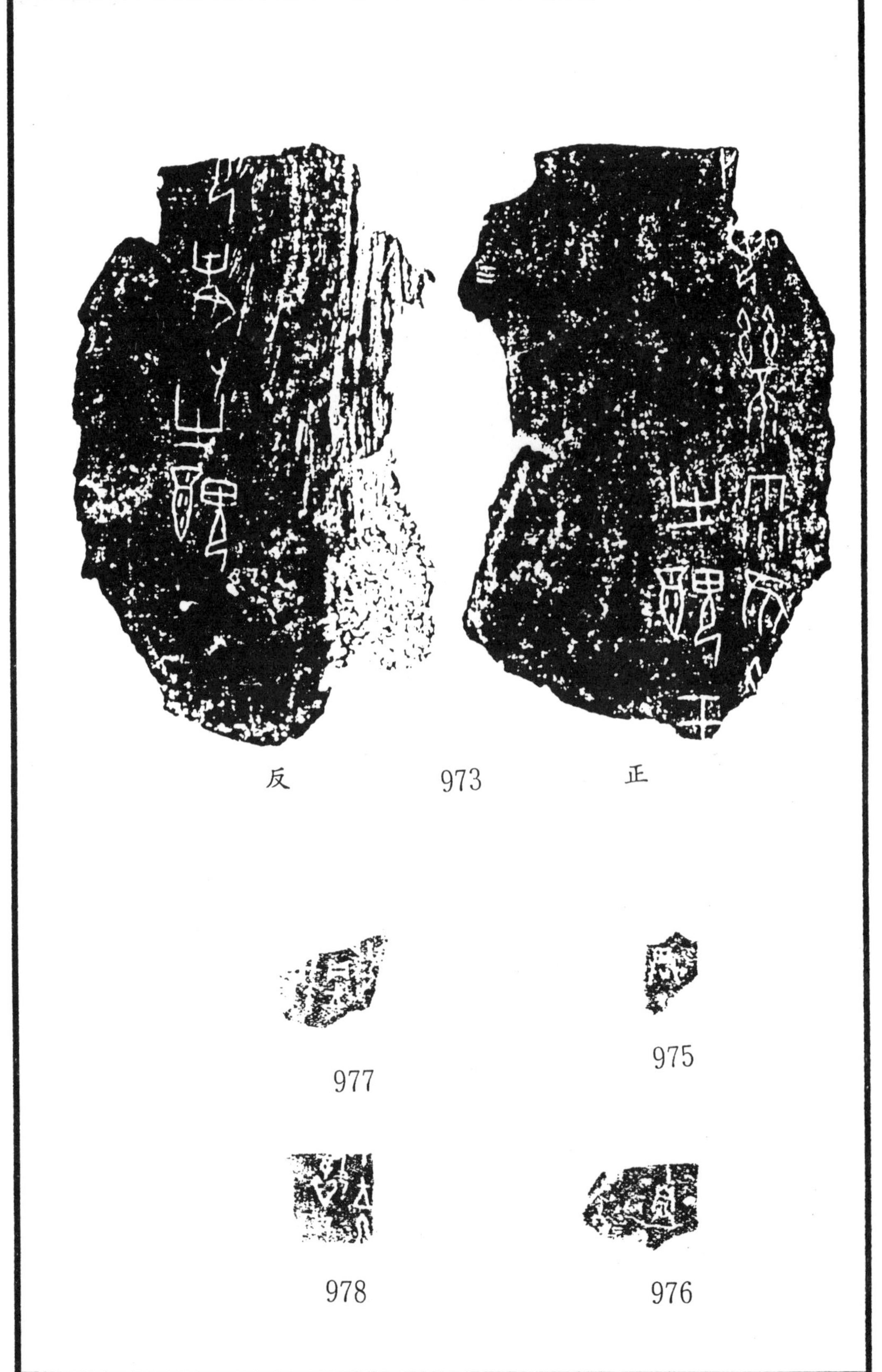

反 973 正

977

975

978

976

979

正

980

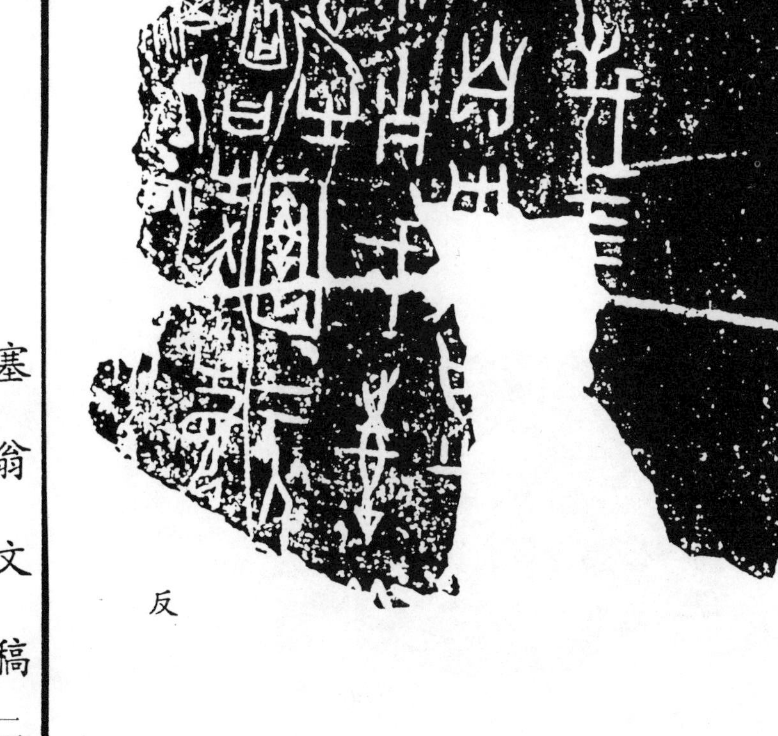

反

981

984

995

983

980 反

982

縮小

985 正

原大

上

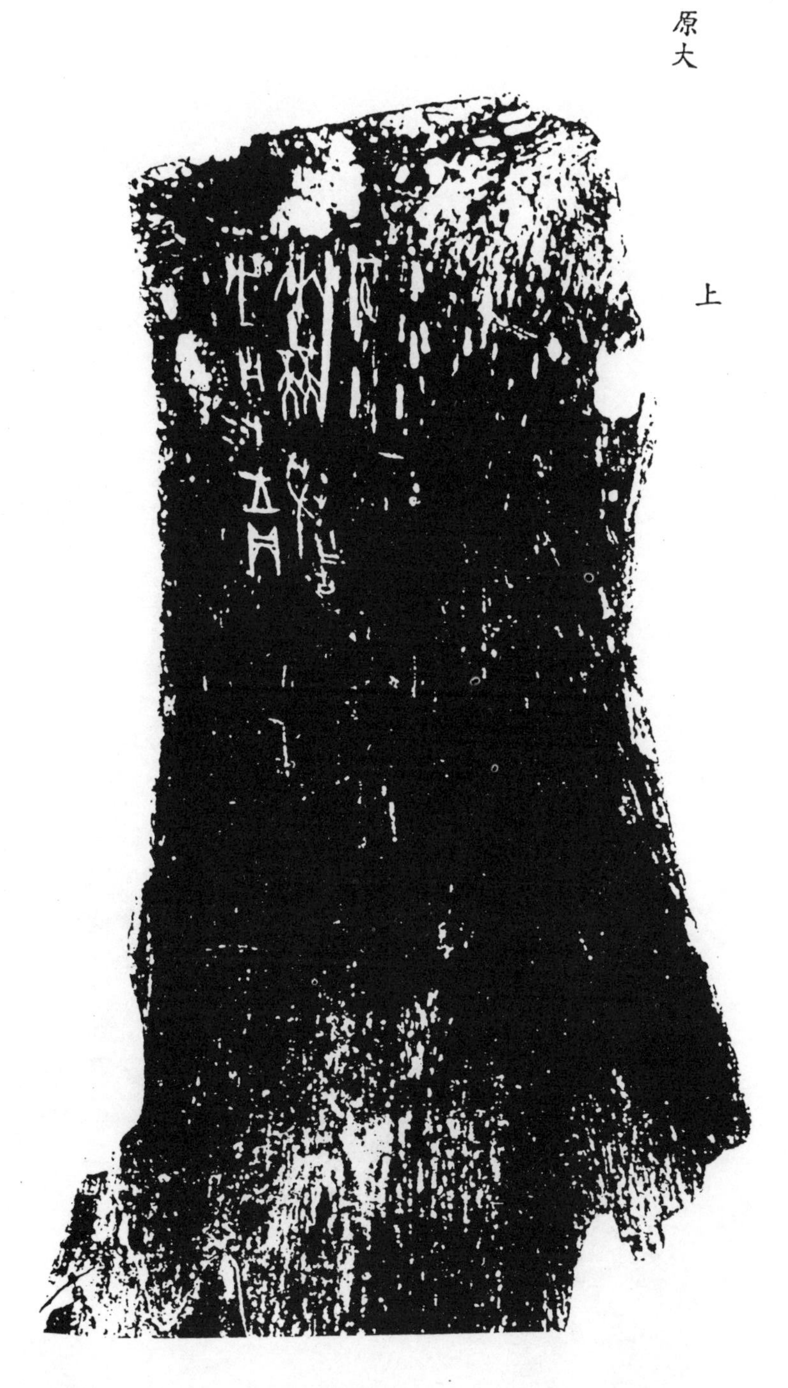

985

下

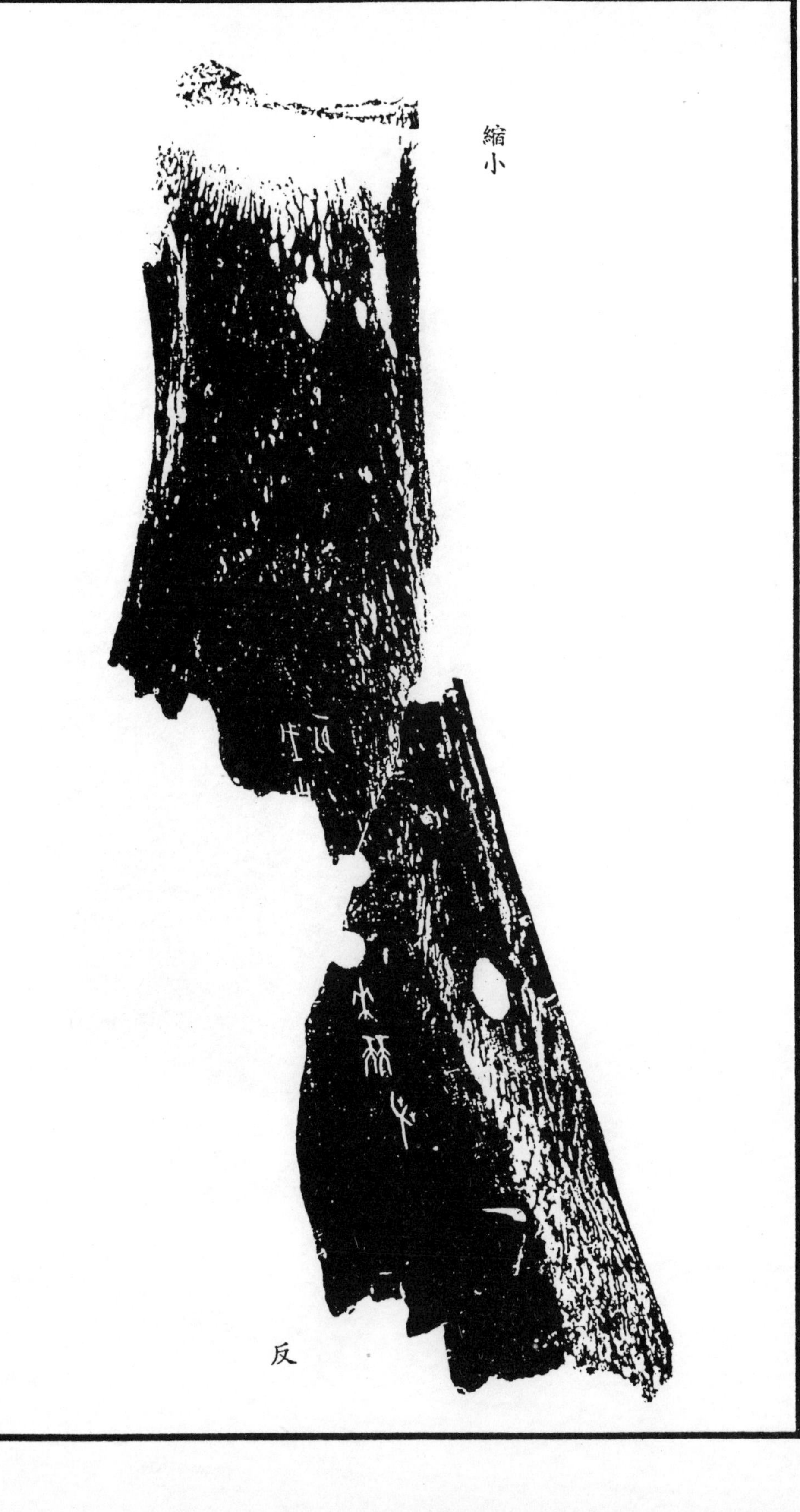
縮小
反

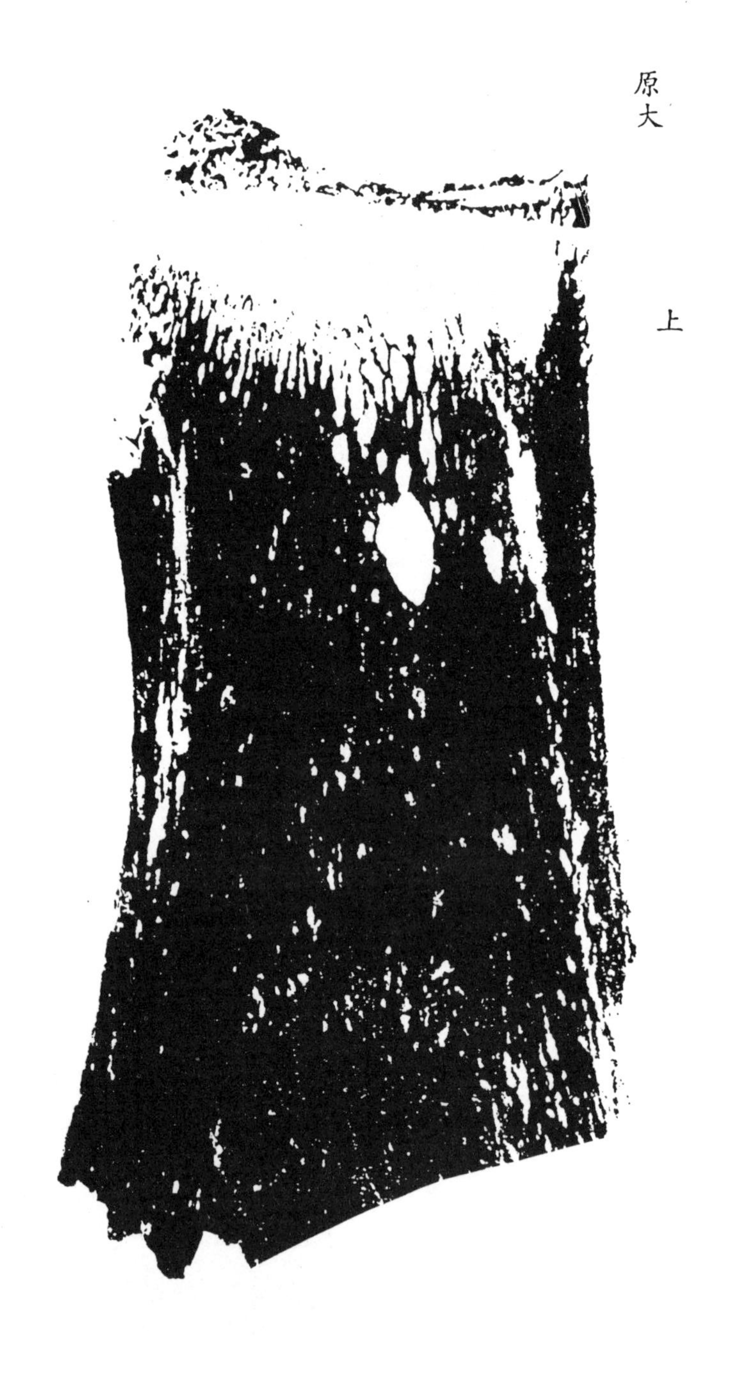
原大
上

九八七至九九四見柯氏藏拓

986
已綴入 033
刪

下

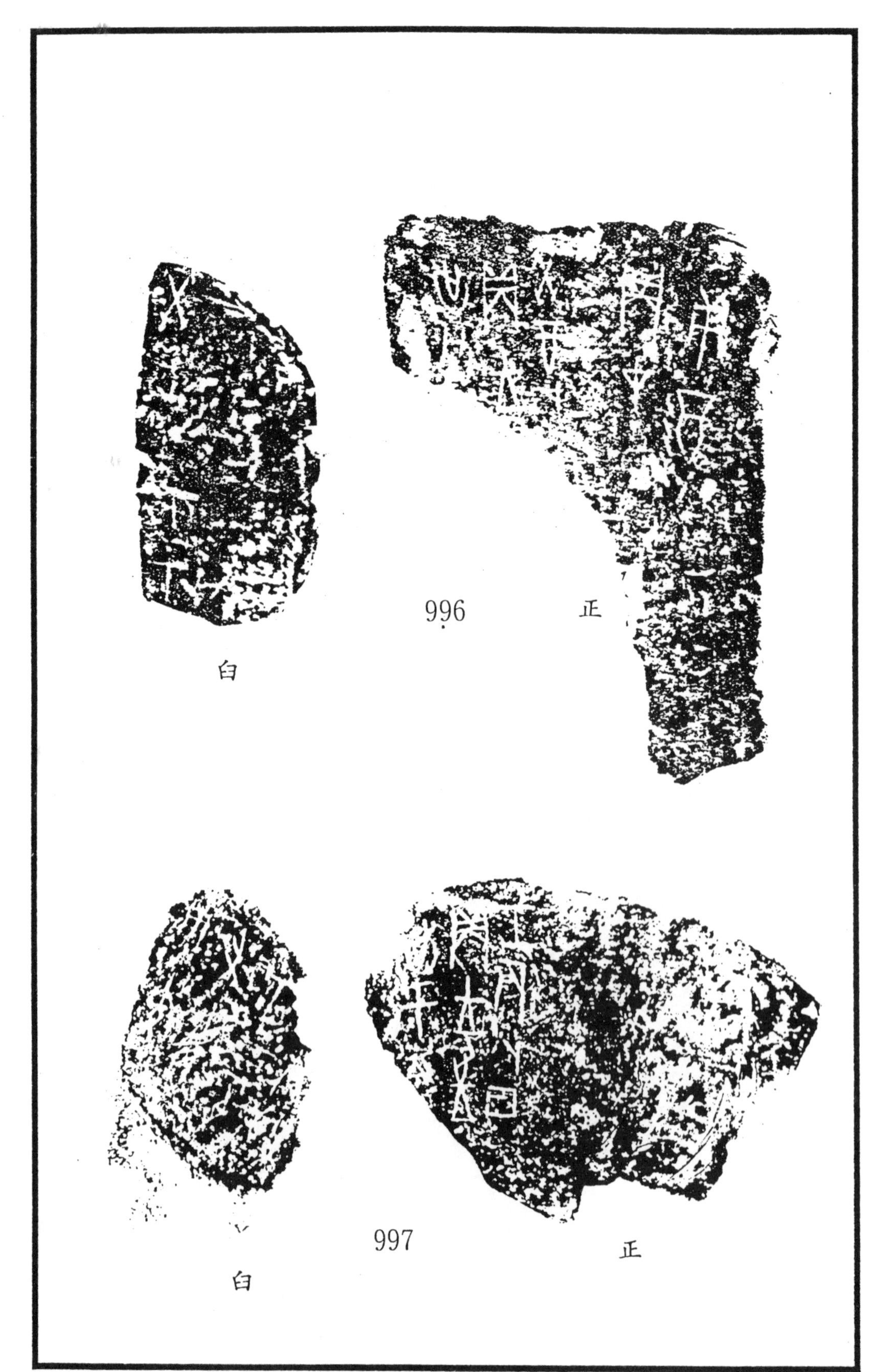

白

996

正

白

997

正

正

998

臼

正

999

臼

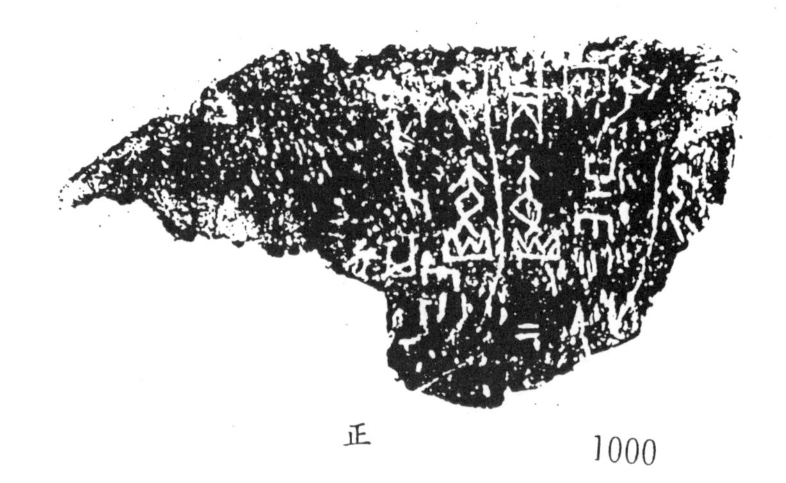

正　　1000

臼

國家圖書館出版品預行編目資料

殷契佚存校釋 / 白玉峥撰. -- 初版. -- 臺北市
: 文史哲, 民 88
冊 : 公分
附圖版
ISBN 957-549-247-1(一套 ; 精裝)

1.甲骨 - 文字 - 研究與考訂

792.7 88015353

殷契佚存校釋（上下冊）

撰者：白玉峥
出版者：文史哲出版社
登記證字號：行政院新聞局版臺業字五三三七號
發行人：彭正雄
發行所：文史哲出版社
印刷者：文史哲出版社
臺北市羅斯福路一段七十二巷四號
郵政劃撥帳號：一六一八〇一七五
電話 886-2-23511028・傳眞 886-2-23965656
精裝二冊實價新臺幣一四〇〇元
中華民國八十八年十月初版

ISBN 957-549-247-1